Sciences et technologie

The Open University

Envol

Upper intermediate French

6

This publication forms part of an Open University course L211 Envol: upper intermediate French. Details of this and other Open University courses can be obtained from the Student Registration and Enquiry Service, The Open University, PO Box 197, Milton Keynes MK7 6BJ, United Kingdom: tel. +44 (0)845 300 60 90, email general-enquiries@open.ac.uk

Alternatively, you may visit the Open University website at http://www.open.ac.uk where you can learn more about the wide range of courses and packs offered at all levels by The Open University.

To purchase a selection of Open University course materials visit http://www.ouw.co.uk, or contact Open University Worldwide, Walton Hall, Milton Keynes MK7 6AA, United Kingdom for a brochure.

tel. +44 (0)1908 858793; fax +44 (0)1908 858787; email ouw-customer-services@open.ac.uk

The Open University
Walton Hall, Milton Keynes
MK7 6AA

First published 2009.

Edited and designed by The Open University.

Typeset by The Open University.

Printed and bound in the United Kingdom by Latimer Trend & Company Ltd, Plymouth.

ISBN 978 0 7492 1743 3

1.1

Table des matières

L211 Course team

Central course team

Sue Brennan (course team secretary)

Xavière Hassan (author, coordinator, co-chair)

Marie-Noëlle Lamy (author, coordinator)

Tim Lewis (author, coordinator, co-chair)

Françoise Parent-Ugochukwu (author)

Hélène Pulker (author, coordinator)

Shirley Scripps (course manager)

Elodie Vialleton (author, coordinator)

Lydia White (course team secretary)

Course production team

Guy Barrett (interactive media developer)

Catherine Bedford (editor)

Heather Clarke (graphic artist)

Lene Connolly (print buying controller)

Sue Dobson (graphic artist)

Beccy Dresden (media project manager)

Kim Dulson (print buying controller)

Vee Fallon (media assistant)

Elaine Haviland (editor)

Sarah Hofton (graphic designer)

Neil Mitchell (graphic designer)

Sne Padhya (media assistant)

Sam Thorne (editor)

Nicola Tolcher (media assistant)

Critical reader (Unit 6)

Bill Alder

Consultant authors

Elspeth Broady, Lucy Ovadia, Yvan Tardy

External assessor

Nicole McBride (London Metropolitan University)

Audio-visual production

Audio and video sequences produced by Autonomy Multimedia and Mediadrome for Learning and Teaching Solutions (Open University).

Original L211 audio and video sequences compiled and produced by the BBC.

Special thanks

The course team would like to thank everyone who contributed to the course by being filmed or recorded, or by providing photographs.

The course team would also like to acknowledge the authors and consultant authors of the first edition of L211: Bernard Haezewindt, Stella Hurd, Marie-Noëlle Lamy, Hélène Mulphin, Jenny Ollerenshaw, Duncan Sidwell, Pete Smith, Anne Stevens, Peregrine Stevenson (authors); Martyn Bird, Marie-Thérèse Bougard, Chloë Gallien, Marie-Marthe Gervais-Le Garff, Christie Price, Peter Read, Yvan Tardy (consultant authors).

Sciences et technologie

La science et la technologie sont deux disciplines qui ont chacune des admirateurs et des détracteurs inconditionnels : les premiers disent qu'elles améliorent notre vie, les seconds qu'elles la dominent. Cette unité va vous permettre d'envisager les sciences et la technologie sous des angles différents, en abordant plusieurs disciplines, en rencontrant plusieurs personnalités impliquées dans le monde scientifique, et en réfléchissant aux bénéfices et aux risques associés au progrès technologique.

Unité 6

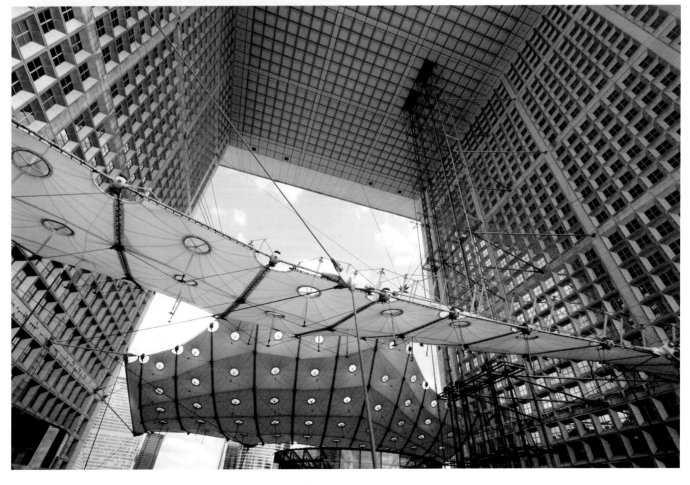

Sommaire

Le tableau ci-dessous présente la structure des sessions qui composent ce livre. La colonne de gauche indique le contenu thématique et la colonne de droite énumère les points clés de chaque session.

Session 1 Les sciences et vous

Dans cette session, vous allez aborder les sciences non pas par le biais de scientifiques professionnels mais en tant qu'amateur, que ce soit dans un contexte scolaire ou dans la vie quotidienne. Vous allez réfléchir à ce que l'apprentissage des sciences peut apporter à tous, spécialistes ou non. Vous allez vous entraîner à utiliser chiffres et unités de mesure en français. Cette session vous donnera aussi l'occasion de réfléchir à votre propre relation avec les sciences et la technologie, de parler de votre expérience personnelle et d'exposer vos sentiments envers ces disciplines.

Points clés

- G6.1 Le conditionnel passé
- C6.1 Le baccalauréat scientifique, « voie royale »
- O6.1 Utiliser des unités de mesure
- O6.2 Les expressions idiomatiques avec des nombres
- O6.3 Décrire le changement
- S6.1 Enrichir son vocabulaire à l'aide d'un dictionnaire

Les sciences vous effraient-elles ?

Les premières activités de cette session vont vous permettre de réfléchir aux sciences en tant que disciplines scolaires. Vous avez peut-être des regrets parce que vous n'avez pas étudié de sciences à l'école ? Vous allez voir que le conditionnel passé peut vous permettre de les exprimer.

Activité 6.1.1 _____

A

Associez les disciplines scientifiques (a) à (e) ci-dessous aux images auxquelles elles correspondent.

1

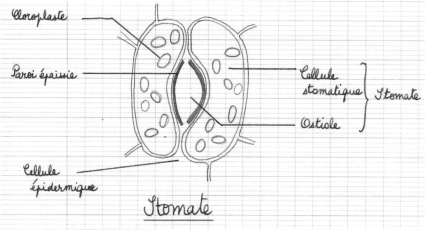

2

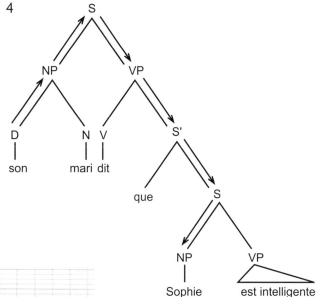

3

```
t_Tilt CTilt::GetTilt(void) const
{
    t_Tilt Result;

    Result.Roll  = (t_float32)(sin(m_Roll)
             * cos(m_Pitch));
    Result.Pitch = (t_float32) sin(m_Pitch);

    return Result;
}
```

5

$$\sin x = x - \tfrac{1}{6}x^3 + \tfrac{1}{120}x^5 - \tfrac{1}{5040}x^7$$
$$+ \tfrac{1}{362880}x^9 - \tfrac{1}{39916800}x^{11}$$
$$+ \tfrac{1}{6227020800}x^{13} - \ldots$$

(a) les mathématiques

(b) la chimie

(c) la biologie

(d) la linguistique

(e) l'informatique

B

Maintenant associez ces autres disciplines scientifiques à leur définition, tirée du Petit Larousse illustré (2004).

1   la sociologie

2   la physique

3   les sciences politiques

4   la géologie

5   la géographie

   (a) Science qui a pour objet la description et l'explication de l'aspect actuel, naturel et humain, de la surface de la Terre.

   (b) Analyse des formes de pouvoir exercées dans les États et des institutions.

   (c) Science qui étudie les propriétés générales de la matière, de l'espace, du temps, et établit les lois qui rendent compte des phénomènes naturels.

   (d) Étude scientifique des sociétés humaines et des faits sociaux.

   (e) Science des matériaux qui constituent le globe terrestre [...] et étude des transformations actuelles et passées subies par la Terre.

C

Classez les dix disciplines des étapes précédentes dans le tableau suivant.

Sciences formelles et naturelles	Sciences humaines et sociales

D

Avez-vous étudié des sciences, à l'école, par exemple ? Quel souvenir en gardez-vous ? Répondez en trois ou quatre phrases.

Activité 6.1.2 _____

A

Lisez ces affirmations, et cochez celles avec lesquelles vous êtes d'accord.

1   Tous les domaines scientifiques sont faciles d'accès. ☐

2   Il est possible d'aborder les sciences simplement. ☐

3   Beaucoup de gens ont des idées reçues négatives sur la science. ☐

4   En revanche, la musique s'apprend rapidement et facilement. ☐

5   La pratique de la science en amateur est différente de la pratique de la musique en amateur. ☐

6   Il faut forcément savoir résoudre une équation pour faire des sciences. ☐

B

Maintenant lisez le texte ci-dessous pour découvrir l'opinion de l'auteur, le scientifique Georges Charpak, sur les affirmations de l'étape A. Dites si, d'après lui, les affirmations sont vraies ou fausses.

> Comme on effectue une promenade en montagne sans être alpiniste, comme on s'essaie à la musique sans être professionnel, on peut pratiquer la science sans en être spécialiste.
>
> Les sciences effrayent bien souvent : c'est abstrait, dit-on, c'est affaire de spécialistes, c'est « truffé de maths », bref, « c'est compliqué », difficile à comprendre, difficile à apprendre et difficile à enseigner. Cette affirmation n'est pas totalement fausse : certains domaines scientifiques sont ardus et, pour atteindre les sommets, il faut gravir une « face nord » plutôt escarpée.

Mais qui parle ici de monter si haut ? Avant d'atteindre les sommets, l'ascension passe par des chemins fort praticables qui offrent de beaux points de vue [...]

La plupart des adultes ont, vis-à-vis des sciences, des préjugés tenaces qui remontent peut-être aux souvenirs qu'ils ont gardés de leurs propres études.

Mais on pourrait en dire autant de la musique. Quoi de plus complexe que la musique ? Même les plus doués mettent des années à se familiariser avec l'harmonie, le contrepoint ou l'instrument. Pourtant, la musique est accessible à tous : quiconque peut en écouter, qu'elle soit populaire ou classique, ou en chanter des bribes, seul ou en groupe, y puise de grandes joies, se familiarisant peu à peu avec ses caractéristiques essentielles et reproduisant alors, même de façon modeste, l'acte créateur.

Ce « quiconque » pratique la musique en amateur (littéralement, comme celui qui aime). Parce qu'il l'aime et bien que n'étant pas un professionnel, il s'y plonge parfois très jeune, avec joie et souvent avec succès.

Pourquoi en irait-il différemment de la science et de ces promenades en montagne ou de cette pratique élémentaire de la musique ?

Une première description du monde ne nécessite ni équation, ni langage complexe, ni formulation ésotérique, et requiert simplement [...] de la curiosité, un sens de l'observation, une finesse des sens [...]

(Georges Charpak, *La Main à la pâte*, 1996, pp. 57–8)

Note culturelle

Georges Charpak scientifique français d'origine polonaise. Né en 1924, il a reçu le prix Nobel de physique en 1992 pour l'invention et le développement de détecteurs de particules élémentaires.

		Vrai	Faux
1	Tous les domaines scientifiques sont faciles d'accès.	☐	☐
2	Il est possible d'aborder les sciences simplement.	☐	☐
3	Beaucoup de gens ont des idées reçues négatives sur la science.	☐	☐
4	La musique s'apprend rapidement et facilement.	☐	☐
5	La pratique de la science en amateur est différente de la pratique de la musique en amateur.	☐	☐
6	Il faut forcément savoir résoudre une équation pour faire des sciences.	☐	☐

C

Répondez aux questions suivantes.

1   Quelle phrase résume le mieux le texte ?

   (a) La science, c'est compliqué. ☐

   (b) On peut pratiquer la science en amateur. ☐

   (c) La science n'est pas accessible à tous. ☐

2   À quelles disciplines et activités la science est-elle comparée ?

3   Classez dans le tableau suivant le vocabulaire qui se rapporte aux trois disciplines et activités ci-dessus. (Vérifiez votre réponse à la question 2 avant de poursuivre.)

Domaine de la science	Domaine de…	Domaine de…

D

Le texte utilise la métaphore de l'alpinisme pour parler de l'apprentissage des sciences. Associez les expressions métaphoriques ci-dessous à leur reformulation.

1	atteindre les sommets	(a)	affronter un apprentissage difficile
2	gravir une « face nord » plutôt escarpée	(b)	l'appréciation de certains aspects de la science
3	l'ascension	(c)	l'apprentissage
4	des chemins fort praticables	(d)	devenir un spécialiste scientifique
5	de beaux points de vue	(e)	des étapes simples

E

1   Relevez dans le texte tous les adjectifs exprimant l'idée de difficulté.

2   Trouvez deux adjectifs du texte exprimant l'idée de facilité.

3   Notez un synonyme et un antonyme du mot « professionnel » utilisés dans le texte.

F

Êtes-vous d'accord avec les idées exprimées dans le texte ? Donnez votre opinion en 50 mots environ.

C6.1   Le baccalauréat scientifique, « voie royale »

Les mathématiques ont un statut particulier dans l'enseignement secondaire en France : elles sont depuis longtemps un outil de sélection des élèves plutôt qu'une matière étudiée pour elle-même. Il s'est établi dans les esprits une hiérarchie entre les filières proposées au baccalauréat, au sein de laquelle le bac scientifique domine. C'est devenu la « voie royale » parce qu'il donne accès aux études scientifiques mais qu'il ouvre aussi les portes de toutes les autres disciplines de l'enseignement supérieur, et en particulier des grandes écoles, c'est-à-dire des établissements d'enseignement supérieur les plus prestigieux. Parce qu'il est en fait plus généraliste, le bac scientifique est choisi par les meilleurs élèves, qu'ils soient scientifiques ou pas. La majorité des bacheliers scientifiques font d'ailleurs des études dans des disciplines non scientifiques. Plusieurs réformes ont tenté de mettre fin à cette hégémonie du bac scientifique, mais à ce jour sans réel succès.

Activité 6.1.3

A

Cochez l'expression qui correspond le mieux à votre propre expérience, ou rédigez-en une autre si aucune ne vous convient.

1   À l'école, j'adorais les sciences, et aujourd'hui aussi. ☐

2   J'ai toujours détesté les mathématiques ; aujourd'hui encore, je n'y comprends jamais rien. ☐

3   J'aurais dû faire plus de sciences à l'école, j'aurais maintenant un emploi mieux payé. ☐

4   J'aurais mieux fait de me concentrer sur les disciplines littéraires à l'école, maintenant c'est ma passion. ☐

5   J'aurais été plus intéressé(e) par les sciences si les cours avaient été plus motivants et moins théoriques. ☐

6   Si j'avais fait plus de maths, j'aurais eu moins d'ennuis financiers dans ma vie. ☐

B

Dans les phrases de l'étape précédente, identifiez les verbes au conditionnel. D'après vous, ils sont au conditionnel présent ou passé ? Comment le voyez-vous ?

G6.1   Le conditionnel passé

1 Le conditionnel passé est formé avec « avoir » ou « être » au conditionnel présent suivi du participe passé :

J'**aurais dû** faire plus de sciences.

J'**aurais été** plus intéressé(e) si les cours avaient été plus motivants.

J'**aurais eu** moins d'ennuis si j'avais fait plus de maths.

Nous **serions venus** si nous avions été invité(e)s.

2 Le conditionnel passé sert à exprimer :

• Le regret

J'aurais mieux fait de me concentrer sur les disciplines littéraires.

Elle aurait voulu devenir mathématicienne.

• Le reproche

Tu aurais dû nous le dire !

Vous auriez pu nous prévenir.

Il aurait fallu nous le signaler.

• Une information dont on n'est pas sûr, une rumeur

On dit qu'elle aurait gagné au loto.

Apparemment, il aurait donné sa démission.

J'aurais voulu être cantatrice !

Activité 6.1.4

A

Transformez les souhaits suivants (encore possibles) en regrets (c'est trop tard) en utilisant le conditionnel passé.

Exemple

Je devrais étudier la physique.

→ J'**aurais dû** étudier la physique.

1 On pourrait enseigner les sciences comme la musique.

2 Tu devrais regarder ce programme sur l'invention du téléphone.

3 Elle préférerait s'inscrire à ce cours de chimie.

4 Vous devriez oublier vos préjugés.

5 Il faudrait que les cours de maths soient plus intéressants.

B

Avez-vous des regrets ? Exprimez-les en cinq phrases en utilisant le conditionnel passé.

Exemple

J'**aurais dû** voyager plus quand j'étais plus jeune ; avec une famille maintenant c'est difficile.

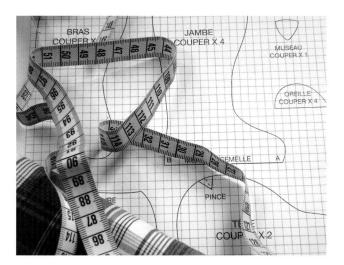

Manipuler les chiffres

Que l'on les aime ou non, les chiffres sont partout dans notre vie quotidienne. Les activités qui suivent vont vous permettre de découvrir l'histoire du système métrique, puis d'utiliser vous-même ses unités et les nombres qui les accompagnent. Vous allez aussi apprendre des expressions idiomatiques contenant des chiffres.

Activité 6.1.5

A

Lisez le texte suivant puis dites si les affirmations à la page 15 sont vraies ou fausses. Corrigez celles qui sont fausses.

Histoire de la mesure

Les balbutiements

Jusqu'au XVIIIe siècle il n'existait aucun système de mesure unifié. Malgré les tentatives de Charlemagne et de nombreux rois après lui, visant à réduire le nombre de mesures existantes, la France comptait parmi les pays les plus inventifs et les plus chaotiques dans ce domaine. En 1795, il existait en France plus de sept cents unités de mesure différentes.

Nombre d'entre elles étaient empruntées à la morphologie humaine. Leur nom en conservait fréquemment le souvenir : le doigt, la palme, le pied, la coudée, le pas, la brasse, ou encore la toise [...]. Ces unités de mesures n'étaient pas fixes : elles variaient d'une ville à l'autre, d'une corporation à l'autre, mais aussi selon la nature de l'objet mesuré. Ainsi, par exemple, la superficie des planchers s'exprimait en pieds carrés et celle des tapis en aunes carrées.

Les mesures de volume et celles de longueur n'avaient aucun lien entre elles. Pour chaque unité de mesure les multiples et sous multiples s'échelonnaient de façon aléatoire, ce qui rendait tout calcul extrêmement laborieux. […]

Source d'erreurs et de fraudes lors des transactions commerciales, cette situation portait aussi préjudice au développement des sciences. À mesure que l'industrie et le commerce prenaient de l'ampleur, la nécessité d'une harmonisation se faisait de plus en plus pressante.

Une mesure universelle : le mètre

Politiques et scientifiques vont tenter de réformer cet état de fait. Leur idée est d'assurer l'invariabilité des mesures en les rapportant à un étalon emprunté à un phénomène naturel, un étalon universel qui, ainsi que Condorcet le rêvait déjà en 1775, ne serait fondé sur aucune vanité nationale, permettant l'adhésion de toutes les nations étrangères. […]

Le 26 mars 1791 naissait le mètre, dont la longueur était établie comme égale à la dix millionième partie du quart du méridien terrestre. Le mètre concrétisait l'idée d'une « unité qui dans sa détermination, ne renfermait rien ni d'arbitraire ni de particulier à la situation d'aucun peuple sur le globe ». […]

Le système métrique décimal, une invention révolutionnaire

L'unité de mesure de base étant déterminée, il « suffisait » désormais d'établir toutes les autres unités de mesure qui en découlaient : le mètre carré et le mètre cube, le litre, le gramme… […]

Pour déterminer l'unité de masse, la commission préféra l'eau à tout autre corps tel que le mercure ou l'or, eu égard à « la facilité de se procurer de l'eau et de la distiller… ». Il fut établi que le kilogramme serait égal à la masse d'un décimètre cube d'eau à une température donnée. […]

Le système métrique décimal à la fois simple et universel commence à se propager hors de France. Le développement des réseaux ferroviaires, l'essor de l'industrie, la multiplication des échanges exigent des mesures précises. Adopté dès le début du XIXe siècle dans plusieurs provinces italiennes, le système métrique est rendu obligatoire aux Pays-Bas dès 1816 et choisi par l'Espagne en 1849.

En France, après quelques mesures contradictoires, la loi du 4 juillet 1837, sous le ministère de Guizot, permet l'adoption exclusive du système métrique décimal. Il aura fallu près d'un demi-siècle pour aboutir à l'adoption d'un système créé pourtant dans l'enthousiasme sous la Révolution. […]

Du système métrique au Système international d'unités

Le Système international d'unités (SI), successeur du système métrique, est officiellement né en 1960 à partir d'une résolution de la 11e Conférence générale des poids et mesures. Ce système permet de rapporter toutes les unités de mesure à un petit nombre d'étalons fondamentaux, et de consacrer tous les soins nécessaires à améliorer sans cesse leur définition. […]

En 1983, suite aux importants travaux sur la vitesse de la lumière et sur les horloges atomiques, le mètre est redéfini en fonction de la vitesse de la lumière, comme égal « à la longueur du trajet parcouru dans le vide par la lumière pendant 1/299 792 458 de seconde ».

(Métrologie française, « Histoire de la mesure », www.metrologiefrancaise.fr/fr/histoire/histoire-mesure. asp, dernier accès le 12 décembre 2008)

Vocabulaire

état de fait   situation

eu égard à   à cause de

Notes culturelles

Charlemagne   roi des Francs de 768 à 814, et empereur d'Occident de 800 à 814

Condorcet   (1743–1794), savant, philosophe et homme politique français

Guizot   François Guizot (1787–1874), ministre français de l'instruction publique de 1832 à 1837 ; plus tard il est devenu président du Conseil, c'est-à-dire chef du gouvernement

	Vrai	Faux
1 Le système métrique existe en France depuis le XVIIe siècle.	☐	☐
2 Auparavant, il existait peu d'unités de mesures en France.	☐	☐
3 Les anciennes unités de mesure se rapportaient souvent à des éléments du corps humain.	☐	☐
4 Condorcet avait déjà inventé le mètre en 1775.	☐	☐

5   L'unité de masse, le kilogramme, est calculée à partir d'un volume d'eau.   ☐   ☐

6   On parle maintenant de « système international d'unités » plutôt que de « système métrique ».   ☐   ☐

B

Répondez aux questions suivantes.

1   En fonction de quoi variaient les anciennes unités de mesure ? (Plusieurs réponses possibles.)

    (a)   la période de l'année   ☐

    (b)   l'endroit   ☐

    (c)   la corporation   ☐

    (d)   la décision du roi   ☐

    (e)   la nature de l'objet   ☐

2   Quelles sont les trois raisons évoquées dans le texte qui ont précipité l'harmonisation ?

3   Qu'est-ce qui a favorisé la propagation du mètre au XIXe siècle ?

4   À partir de quelle année le mètre a-t-il été la seule unité de mesure de longueur officielle en France ?

5   Sur quelle mesure le mètre actuel est-il fondé ?

C

Associez ces mots et expressions du texte (notés ici sans conjugaison ou sans accord) à leur synonyme ou équivalent.

1	compter parmi	(a)	au hasard
2	la superficie	(b)	dériver (de)
3	de façon aléatoire	(c)	faire partie de
4	prendre de l'ampleur	(d)	la surface
5	un étalon	(e)	par rapport à
6	découler (de)	(f)	se développer
7	en fonction de	(g)	une référence

O6.1 Utiliser des unités de mesure

Poids, mesures et températures ne sont pas toujours faciles à exprimer dans une autre langue, et encore moins lorsqu'il faut aussi utiliser un système d'unités différentes. Nous vous donnons ci-dessous quelques tableaux ainsi que des exemples qui vous fournissent du vocabulaire utile pour parler de poids et mesures en français. Les unités marquées « * » sont utilisées au Québec.

Mesures de poids et de volume	
un gramme (g)	une livre* (France : 500 g ; Royaume-Uni/Québec : 453,6 g)
un kilo (kg) (= 1 000 g)	un litre (l)
une tonne (= 1 000 kg)	une pinte* (Royaume-Uni : 0,57 l ; Québec : 0,47 l)
une once* (= 28,35 g)	un gallon* (Royaume-Uni : 4,5 l ; Québec : 3,8 l)

– Vous **pesez** combien ?
– Je pèse 62 kg.

– **Quel est le poids** de ton bébé ?
– Il pèse 4 kg.

Mesures de longueur, largeur, hauteur, profondeur	
un millimètre (mm)	un pouce* (= 2,54 cm)
un centimètre (cm) (= 10 mm)	un pied* (= 30,48 cm)
un mètre (m) (= 100 cm)	un yard* (= 91,44 cm)
un kilomètre (km) (= 1 000 m)	un mile* (= 1,6 km)

– Quelles sont les dimensions de ta chambre ?
– Elle **fait** 4 m **de long sur** 2,50 m **de large**.

– Combien est-ce que tu **mesures** ?/Quelle taille **fais**-tu ?
– Je **mesure/fais** 1,80 m.

– Quelle est la distance de la Terre à la Lune ?
– Elle **est de** 384 400 km.

– Londres **est à** quelle distance de Paris ?
– Londres **est** à environ 350 km de Paris, à vol d'oiseau.

Mesures de température	
degrés Celsius	degrés Fahrenheit
0° C	32° F
10° C	50° F
20° C	68° F
30° C	86° F
40° C	104° F

– Quelle température **fait**-il aujourd'hui ?
– Il **fait** froid, environ 3° C.

– Vous **avez** encore de la température ?
– Oui, j'**ai 39 de fièvre**, je dois rester au lit.

Attention, pour noter la séparation entre les unités et les décimales, on utilise une virgule en français, par exemple « 1,7 », qui se lit « un virgule sept ». Quand l'on lit un chiffre à virgule avec une unité, on remplace « virgule » par l'unité, par exemple, « 1,70 m » se lit « un mètre soixante-dix ». Entre les milliers et les centaines, on n'utilise jamais de virgule ; on peut éventuellement mettre un espace : 1 kilomètre = 1 000 mètres.

Voici maintenant deux activités qui vont vous faire travailler les différentes mesures que vous venez de voir.

Activité 6.1.6

A

Trouvez dans l'encadré la réponse qui correspond à chacune des questions suivantes. Si vous hésitez entre certaines réponses, reportez-vous à l'encadré « Utiliser des unités de mesure » ci-contre. Et surtout, essayez d'être logique !

```
6 tonnes  •  26° C  •  71%  •
77 x 53 cm  •  776 km  •  891 km  •
1 000 g  •  8 848 m
```

1 Quelle est la longueur de la Seine ?

2 Combien pèse un litre d'eau ?

3 Quelle est la hauteur du mont Everest ?

4 L'éléphant d'Afrique est l'un des plus grands mammifères. Quel poids peut-il atteindre ?

5 Quelle est la température moyenne à Lyon au mois d'août ?

6 Quelle est la distance de Calais à Marseille ?

7 Quelle est la dimension du tableau de La Joconde de Léonard de Vinci ?

8 Quelle est la proportion des mers et océans sur la surface de la Terre ?

Quelle est la longueur de la Seine ?

B

Écrivez la question qui correspond à chacune des cinq réponses données ci-contre. Les dessins devraient vous aider à deviner de quoi il s'agit, mais attention, ils sont tous mélangés.

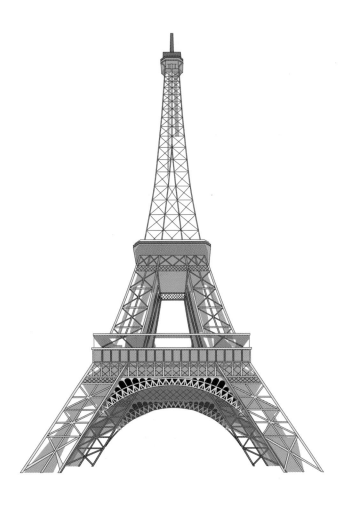

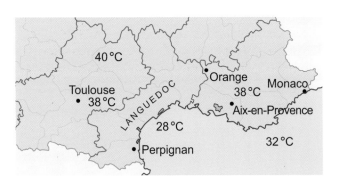

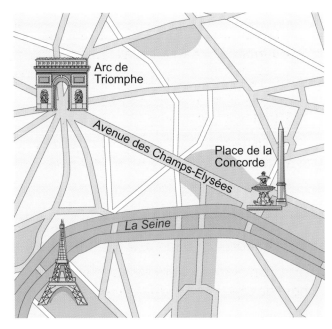

1   À l'intérieur, jusqu'à 38, 40° C. Mais sur la côte, à Antibes, ou à Collioure, c'est plus supportable : entre 28° C et 32° C, à cause de l'influence de la mer.

2   Elle mesure 1 880 m de la place de la Concorde à l'Étoile.

3   L'eau bout à 100° C (mais si elle contient du sel, elle bout à plus de 100° C).

4   La plus haute montagne de France mesure 4 807 m.

5   Elle pèse 10 000 tonnes. Sa charpente métallique seule pèse 7 300 tonnes.

O6.2   Les expressions idiomatiques avec des nombres

On trouve souvent des nombres dans les expressions idiomatiques, peut-être en raison de la forte valeur symbolique qu'avaient les nombres dans les civilisations anciennes. Voici quelques exemples d'expressions contenant le chiffre quatre. Comparez-les à leur équivalent dans votre langue : emploie-t-on le même nombre ?

Je sais que vous vous êtes vraiment **mises/coupées en quatre** pour m'aider (= vous avez fait beaucoup d'efforts).

Mes cousins habitent **aux quatre coins du monde** (= partout dans le monde).

Elle **fait** toujours **les quatre volontés** de son fils, et lui la traite très mal (= elle cède à toutes ses demandes).

J'en avais assez, et pour une fois, je lui ai dit **ses quatre vérités** (= j'ai dit tout ce que je pensais de lui).

Lui qui est toujours habillé n'importe comment, ce jour-là, il était **tiré à quatre épingles** (= très bien habillé).

Lorsqu'un nombre fait référence à quelque chose de concret et d'universel (par exemple, le nombre d'heures dans une journée), le même nombre est utilisé dans des langues différentes. Mais dans les expressions imagées, on peut trouver un autre nombre, ou une autre expression, sans nombre, dans des langues différentes, par exemple, ici en allemand :

Für zwei essen (se dit notamment pour les femmes enceintes) = manger comme quatre

et en espagnol :

Cuatro ojos ven más que dos = deux valent mieux qu'un

L'activité suivante va vous aider à augmenter votre stock d'expressions idiomatiques et vous entraînera à utiliser votre dictionnaire.

Activité 6.1.7 _____

Associez ces débuts de phrases à la fin qui convient en fonction du sens des expressions idiomatiques qu'elles contiennent. Cherchez-les dans un dictionnaire si nécessaire.

1   J'avais les mains mouillées, et j'ai touché la prise de courant. J'ai pris une de ces décharges, et...

(a) à gagner des mille et des cents.

2   Il a une mémoire extraordinaire : il a appris le tableau de classification périodique des éléments...

(b) ça fait deux !

3   Quand on fait de la recherche il faut avoir beaucoup de patience et de ténacité, et surtout il ne faut pas s'attendre...

(c) en deux temps trois mouvements.

4   Ils pensaient qu'un virus s'était échappé de leur laboratoire, et...

(d) ils étaient aux cent coups.

5   Je ne pourrai jamais faire une carrière en sciences : moi et les maths...

(e) j'ai vu trente-six chandelles !

6   Ou je prends des locataires, ou je retourne travailler, il n'y a pas...

(f) trente-six solutions.

S6.1 Enrichir son vocabulaire à l'aide d'un dictionnaire

Chercher des nombres dans votre dictionnaire pour y trouver des expressions idiomatiques qui les utilisent peut être un bon moyen d'enrichir votre vocabulaire. Par exemple, en cherchant « trois » vous trouverez peut-être :

> Il n'a pas dit trois mots (il n'a presque rien dit).

> C'est trois fois rien (c'est rien du tout).

À l'inverse, vous pouvez aussi penser à des expressions idiomatiques contenant des nombres dans votre langue et en chercher la traduction dans un dictionnaire bilingue. Voici, comme exemple, la traduction de quelques expressions anglaises :

> *on all fours* = à quatre pattes

> *to be dressed up to the nines* = être sur son trente-et-un/être tiré à quatre épingles

> *I've told you a hundred times* = Je te l'ai dit trente-six fois/ cent fois /36 000 fois/

> *It's six of one and half a dozen of the other* = C'est du pareil au même/C'est bonnet blanc et blanc bonnet.

La science au quotidien

Les activités qui suivent vont vous permettre de découvrir le nom de ceux qui ont contribué à nous apporter le confort moderne, et d'admirer l'inventivité de Jacques Carelman, auteur de *Catalogue d'objets introuvables* (1969). Enfin vous allez travailler sur les mots qui indiquent un changement, tout en constatant que votre cuisine peut être le lieu d'expériences chimiques insoupçonnées.

Activité 6.1.8

A

Lisez l'article suivant et complétez le tableau de la page 22.

Une journée de Marie

Petite histoire sociologique du confort moderne

Marie s'éveille, étend le bras, presse le bouton de sa lampe de chevet. Ingrate, elle n'a pas la moindre pensée pour Davy, l'homme de la lampe à arc, avec qui en 1817, débute l'éclairage électrique.

La paupière brumeuse, elle rampe vers la cuisine, actionne la machine à café. Elle ne sent même pas monter, avec l'odeur réconfortante, le souvenir de l'Italien

Achille Gaggia, l'inventeur, en 1946, de la machine à *espresso* [expresso].

Avec le chaud liquide, vient l'appétit. Elle ouvre le réfrigérateur. Sait-elle qu'elle doit la fermeté de son beurre à Ferdinand Carré, qui mit au point le premier frigo à ammoniaque en 1860 ? Et se doute-t-elle que les Français attendront 1925 pour que soient vendus, en France, les premiers « Frigidaire » importés des États-Unis ? Et qu'en 1968, 27% des Français n'en auront toujours pas ?

Rassasiée, elle flâne jusqu'à la salle de bains et ouvre les robinets. La veinarde. L'idée ne l'effleure pas une seconde qu'en 1838, il n'existe à Paris que 1 013 baignoires à domicile. Qu'en 1946, 5% des logements ont une salle de bains, qu'en 1962, 29% des foyers disposent d'une baignoire ou d'une douche, qu'en 1968, ils sont 43%, qu'en 1993, il reste 7% de foyers n'ayant ni l'une ni l'autre, ce chiffre montant à 13% à Paris. Ah, la bonne eau chaude ! Dire qu'en 1947, même pas 10% de familles en bénéficiaient et qu'elles n'étaient que 50% en 1968.

Étrillée de frais, Marie enfile son jean. Merci qui ? Merci Oscar. C'est en 1853 que ce vêtement, devenu l'emblème de la décontraction et du confort, a vu le jour, en Amérique, au moment de la ruée vers l'or. Ce n'était qu'une grossière toile de tente dans laquelle Oscar Levi-Strauss tailla un pantalon à un chercheur d'or qui voulait un falzar solide. Mais ce n'est que vingt ans plus tard que Jacob Davis y ajoutera les fameux rivets et fera une patente commune avec Levi-Strauss.

Le polo, roulé en boule dans un tiroir, est un peu fripé. Marie branche le fer. Cher H.W. Seely ! Elle n'en a cure mais c'est tout de même lui qui a inventé le fer à repasser électrique en 1891, aux États-Unis, et ce

n'est qu'en 1913 que Calor lancera le premier fer français. Un mammouth lourd à vous arracher le bras. Marie est prête à partir au bureau. Auparavant, elle remplit sa machine à laver et tourne le bouton. Mécanique, son geste n'a même pas conscience de ce qu'il doit à Alva J. Fisher qui mit au point la première machine à laver électrique en 1901.

Marie claque la porte, tourne la clé dans la serrure et appelle l'ascenseur. Bien entendu, elle ne rend aucune grâce à Elisha G. Otis. C'est pourtant lui qui, en 1856, installa à New York le premier élévateur. Aucune reconnaissance, non plus, pour l'ingénieur Eydoux, qui, lui, inventa en 1867 l'ascenseur hydraulique.

Marie a fini sa journée. Elle retrouve l'appartement avec contentement. Comme 68% de personnes le déclaraient en 1988, elle est satisfaite de son logement. Elles n'étaient que 52% en 1973. Il faut dire aussi, qu'en trente ans, la surface par personne a doublé et qu'elle ne cesse de croître (22 m² par personne en 1970, 32 en 1988).

Elle n'y pense jamais mais le confort moderne a son âge, en somme. C'est dire qu'il est bien jeune. Elle est née à la fin des années soixante, quand 87% des familles n'avaient pas encore le téléphone, 65% pas de chauffage central et 46% pas de voiture. Tout allait changer durant la décennie suivante.

C'était l'époque où les grands ensembles étaient encore des lieux d'intégration sociale, marquant la disparition des bidonvilles. Ils étaient flambant neufs. Après guerre, en effet, il sera construit autant de logements qu'il en existait avant. Neuf millions d'appartements (dont un tiers de logements sociaux) seront construits en vingt ans.

L'électricité aussi va opérer une révolution. Jusqu'aux années soixante, elle était essentiellement une énergie d'éclairage. Avec l'installation du « compteur bleu », elle deviendra, entre 1963 et 1973, une énergie motrice prête à actionner toutes les merveilles du progrès. Toutes ces machines, petites ou grandes, qu'on branche sans y penser et qui fabriquent rien moins que du bien-être.

(Marie-Édith Alouf, « Une journée de Marie », *Le Nouveau Politis*, n° 19, juillet–août 1994)

Vocabulaire

la paupière brumeuse   encore à moitié endormi(e)

étrillé de frais   ayant fini sa toilette (en fait « étriller » ne s'utilise normalement que pour les chevaux et veut dire « frotter pour nettoyer »)

le falzar (arg.)   pantalon

elle n'en a cure   ça lui est égal

les bidonvilles (m.pl.)   agglomérations de logis de fortune, construits avec des matériaux de récupération, à la périphérie des grandes villes

flambant neuf   tout neuf

B

Répondez aux questions suivantes.

1   Quelle proportion de Français n'avait pas de réfrigérateur en 1968 ?

2   Quelle proportion de Parisiens n'avait ni baignoire ni douche en 1993 ?

3   Quelle était la surface moyenne de logement par personne en 1970 ?

4   Combien de familles étaient sans téléphone à la fin des années soixante ?

C

Parmi les inventions qui sont citées dans l'article, ou bien parmi une liste personnelle différente, laquelle, d'après vous, a été très utile à l'humanité, et laquelle ne l'a pas vraiment été ? Expliquez pourquoi. Écrivez 150 à 200 mots.

Invention	Date	Inventeur
la machine à expresso		
		Ferdinand Carré
	1853	
	1891	
la machine à laver		
		Elisha G. Otis

Activité 6.1.9 _____

Regardez les cinq dessins du livre de Jacques Carelman, *Catalogue d'objets introuvables* (1969) ci-dessous. Il s'agit de créations qu'il a exposées au Musée des Arts décoratifs de Paris. Pouvez-vous deviner à quoi sert chacun de ces objets ? Écrivez une phrase ou deux pour chacun.

3

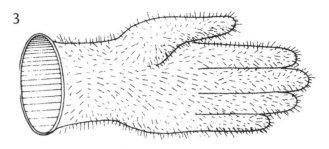

4

1

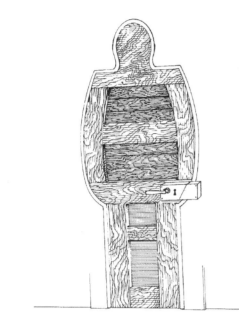

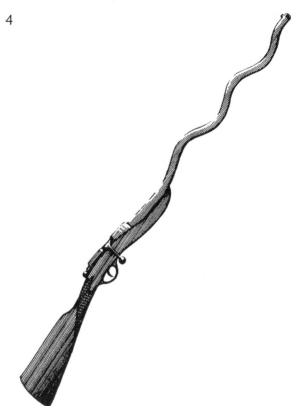

2

5

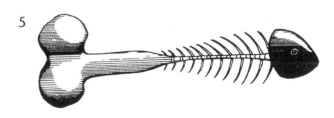

Dans les activités qui suivent, vous allez voir que des lieux quotidiens et des objets anodins peuvent aussi être le théâtre d'expériences scientifiques. Elles vont aussi vous donner l'occasion d'utiliser des expressions pour décrire le changement.

Activité 6.1.10

Lisez le texte ci-dessous, une fiche d'expérience conçue pour présenter des réactions chimiques à des écoliers de onze ans (classe de 6e), puis répondez aux questions qui suivent.

> # Brûler du sucre (réactions chimiques : 6e)
>
> **Objectif** : comprendre, décrire et expliquer l'effet de la chaleur sur le sucre.
>
> **Matériel** : sucre blanc, chandelle, allumettes, petite cuiller en métal, lunettes de sécurité.
>
> **Déroulement** : [...] Mettre une pincée de sucre dans une petite cuiller en métal. En observer et décrire l'aspect. Placer la cuiller au-dessus de la source de chaleur. Cesser de chauffer aussitôt qu'il se produit un changement quelconque dans l'aspect du sucre. Observer et décrire le changement en question. Continuer à chauffer et à cesser de chauffer, afin de pouvoir décrire les changements au fur et à mesure qu'ils se produisent. Continuer jusqu'à ce que le sucre soit complètement brûlé. [...]
>
> **Observations** : Au début le sucre est sous forme de petits cristaux blancs. Dès qu'on commence à le chauffer, il devient liquide, il fond rapidement. Puis, il se met à bouillir. Il brunit et noircit. Enfin, il brûle avec une flamme jaunâtre en produisant une fumée blanchâtre et une odeur de sucre brûlé. À la fin, il ne reste qu'un dépôt noir de carbone. [...]

(Bernard Laplante, Activités de sciences et technologie pour l'enseignement en immersion, http://uregina.ca/~laplantb/ACT. SCI/activites.niveaux/6annee/bruler.sucre.htm, dernier accès le 18 novembre 2008)

1 Relevez les verbes du texte qui décrivent un changement.

2 Quels sont les deux verbes de changement dérivés d'un adjectif de couleur ? En connaissez-vous d'autres ? Notez-en au moins trois autres.

3 Quels sont les verbes de changement décrivant un changement de matière ? En connaissez-vous d'autres ? Notez-en au moins trois autres.

O6.3   Décrire le changement

1 Il est possible de créer des verbes décrivant des changements en ajoutant la terminaison « -ir » à la racine d'un adjectif, par exemple les adjectifs de couleur. Si l'adjectif a deux formes différentes, on utilise la forme du féminin pour créer le verbe, mais on supprime le « e » de l'adjectif.

Adjectif	Verbe
blanc, blanche	blanc**hir**
bleu	bleu**ir**
rouge	roug**ir**
roux, rousse	rous**sir**
gros, grosse	gros**sir**
vieux, vieille	vieil**lir**

Notez les exceptions suivantes : noir**cir**, ver**dir**, hau**sser**, bai**sser**. Ces verbes sont formés à partir d'une racine différente de celle de l'adjectif.

Tous ces verbes peuvent être employés sans complément d'objet (intransitivement), et certains (par exemple, blanchir ou noircir) peuvent être employés avec un complément d'objet direct (transitivement) :

Une allumette qui brûle commence par **rougir**, puis elle **noircit**.

Il ne faut pas trop **noircir la situation**.

2 On peut aussi exprimer le changement à l'aide de certains verbes pronominaux, et des noms qui y correspondent. Notez que ceux-ci sont formés avec plusieurs suffixes différents (notés en gras) :

Verbe	Nom
se transformer	la transforma**tion**
se moderniser	la modernisa**tion**
s'améliorer	l'améliora**tion**
s'élargir	l'élargisse**ment**
s'approfondir	l'approfondisse**ment**
s'agrandir	l'agrandisse**ment**
s'allonger	l'allonge**ment**

Les noms qui se terminent en « -tion » sont féminins et ceux qui se terminent en « -ment » sont masculins.

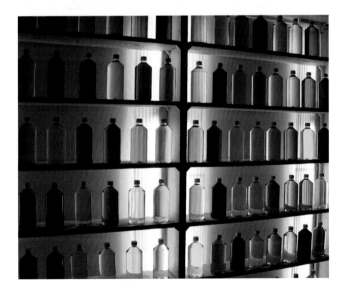

Activité 6.1.11

Répondez aux questions suivantes en utilisant des verbes de changement. Utilisez votre dictionnaire si nécessaire.

1 Que se passe-t-il si vous laissez du pain trop longtemps dans un grille-pain ?

2 Que se passe-t-il si l'on met du beurre au congélateur ?

3 Que se passe-t-il si l'on pose trop longtemps un fer à repasser sur une chemise ?

4 Que se passe-t-il si l'on ne met pas de gants quand il fait très froid ?

5 Qu'arrive-t-il à nos cheveux lorsque nous devenons âgé(e)s ?

6 Qu'arrive-t-il aux journées à partir du solstice d'hiver ?

Activité 6.1.12

Écrivez un texte de 300 à 350 mots sur les changements que le progrès a apportés à un endroit que vous connaissez bien : un village où l'on a construit une nouvelle gare, une ville qui s'est industrialisée, un quartier d'affaires qui s'est créé, etc. Utilisez des mots indiquant un changement. N'oubliez pas d'utiliser l'imparfait quand vous décrivez la situation passée et le passé composé pour parler des événements qui ont déclenché les changements, et ce qui est ensuite arrivé. Par exemple :

> L'industrie du papier **était** un secteur d'activité moteur à Grenoble, mais son importance **a diminué** progressivement.

Session 2 Grenoble, pôle d'innovation

Dans cette session, vous allez aborder la question du rôle que les sciences et la technologie peuvent jouer pour dynamiser l'économie d'un pays. Vous allez vous informer sur l'importance économique de la recherche scientifique en France, et sur la politique des pôles de compétitivité, à travers l'exemple de Grenoble. Cette ville est un pôle d'innovation où le développement d'une économie de pointe se base sur l'heureuse collaboration entre les universités, les collectivités locales et les entreprises. Vous allez vous pencher sur son histoire récente afin de comprendre son évolution.

Points clés

- G6.2 Le passé simple
- G6.3 Passé simple ou présent de narration ?
- C6.2 Les grandes écoles
- O6.4 Ajouter des précisions à un nom

Recherche scientifique et compétitivité

La science et la technologie se voient au XXIe siècle comme les serviteurs d'une économie durable. La France dispose d'importantes capacités en matière scientifique et technologique mais le gouvernement cherche maintenant à encourager le transfert des résultats de la recherche au monde de l'entreprise afin de dynamiser l'économie. Il s'agit aussi d'accompagner la transition entre les industries traditionnelles et les industries de pointe dans le pays. C'est ce que vous allez découvrir dans les activités suivantes.

Activité 6.2.1 _____

Classez les domaines industriels ci-dessous selon qu'ils appartiennent aux industries traditionnelles ou de pointe.

1 Aérospatiale	7 Nanotechnologies
2 Agroalimentaire	8 Papeterie
3 Chimie	9 Sidérurgie
4 Informatique	10 Technologies de l'information
5 Métallurgie	
6 Microélectronique	11 Textile

Industries traditionnelles	Industries de pointe

Activité 6.2.2 _____

A

Lisez les extraits d'articles ci-dessous et page 28 pour en comprendre le sens global, puis dites si les affirmations suivantes sont vraies ou fausses. Corrigez celles qui contiennent une information incorrecte.

La recherche : une ambition nationale

Moteur de la compétitivité, de la croissance et de l'emploi, la capacité de recherche scientifique et d'innovation technologique est l'un des atouts majeurs de la France, qui se place au quatrième rang mondial pour les investissements dans ce domaine.

Pour espérer rivaliser avec ses concurrents, une entreprise doit impérativement se distinguer par la technologie et l'innovation. Avant de s'implanter dans une région, les investisseurs insistent donc de plus en plus sur la qualité de ses infrastructures de recherche et de développement (laboratoires, enseignement, haute technologie...).

En consacrant [près de 3%] de son produit intérieur brut (PIB) à la recherche [...], la France occupe une place de choix dans le peloton de tête des pays producteurs de connaissances et d'innovations. Elle dispose d'un enseignement supérieur de grande qualité (universités, grandes écoles) et d'une multitude de centres de recherche renommés. [...]

(Emmanuel Thévenon, « S'implanter en France, un choix gagnant », *Label France*, n° 57, 2005)

Nouvelle dynamique : les pôles de compétitivité

Des mesures récentes visent à dynamiser la recherche française et sa valorisation industrielle. En 2005, le gouvernement a créé les « pôles de compétitivité ». Ces pôles, concentrations d'entreprises, de centres de recherche et d'organismes de formation, sont destinés à devenir les vitrines de la France industrielle et scientifique à l'étranger. Les acteurs des pôles réalisent un projet commun autour d'une activité innovante et pérenne, susceptible d'attirer des sociétés françaises et étrangères, mais aussi des chercheurs et des étudiants. L'État français souhaite ainsi à la fois empêcher l'accélération des délocalisations et tirer profit de la mondialisation économique.

Pour améliorer l'attractivité de la France, le gouvernement met en place des crédits importants. De 2005 à 2007, les aides dédiées au lancement et à l'accompagnement des premiers pôles de compétitivité représentent une enveloppe de 750 millions d'euros. D'autres mesures incitatives, comme des exonérations fiscales, des allégements de charges sociales et des systèmes de financement spécifiques ont également été mises en place.

		Vrai	Faux
1	La recherche scientifique est importante pour le développement de nouvelles entreprises.	☐	☐
2	La France est l'un des premiers pays producteurs de connaissances et d'innovations.	☐	☐
3	Les investissements dans la recherche scientifique et l'innovation technologique en France sont moindres que dans la plupart des pays du monde.	☐	☐
4	Les « pôles de compétitivité » concernent uniquement les entreprises traditionnelles.	☐	☐
5	L'État français a mis en place des mesures financières pour aider les « pôles de compétitivité ».	☐	☐

B

Relisez les deux textes et répondez aux questions suivantes.

1 Selon ces textes, que cherchent les investisseurs ?

2 Dans quel but l'État français a-t-il lancé les « pôles de compétitivité » ?

3 Quelles ressources l'État français investit-il pour encourager la recherche et sa valorisation ?

C

Associez les expressions ci-dessous, utilisées dans les textes et liées aux domaines de l'économie et de la science, à leur définition.

1	le PIB	(a)	le déplacement vers l'étranger d'une activité économique dont la production est ensuite importée en France (p. ex., un producteur français ferme son usine en France pour aller s'implanter en Chine)
2	la valorisation	(b)	le fait qu'une société ou qu'un individu soit dispensé du paiement d'impôts
3	la délocalisation	(c)	la réduction des cotisations prélevées par l'État pour le financement de la protection sociale des salariés
4	la mondialisation	(d)	l'application et l'exploitation souvent commerciales de la recherche
5	les exonérations fiscales	(e)	l'ouverture de toutes les économies nationales sur un marché global
6	les allégements de charges sociales	(f)	la valeur de la production de biens et de services d'une économie nationale

D

Faites une liste de toutes les expressions utilisées dans les textes associées aux domaines suivants. Si nécessaire, vérifiez leur sens exact dans un dictionnaire.

Science et technologie	Economie/affaires/finances
la recherche scientifique	la compétitivité
...	...

C6.2 Les grandes écoles

Parallèlement aux universités, il existe en France des établissements d'enseignement supérieur prestigieux qui dispensent un enseignement de haut niveau : les grandes écoles. Elles sont de petite taille par rapport aux universités et disposent en général de plus d'autonomie, de meilleurs équipements, et de financements privilégiés. La formation y est plus généraliste et pluridisciplinaire que dans les filières universitaires. Contrairement aux universités, les grandes écoles ont le droit de sélectionner leurs étudiants, souvent par concours. Les étudiants préparent les concours d'entrée après le baccalauréat dans des classes spécialisées au lycée appelées « classes préparatoires ».

À l'origine, les grandes écoles ont été créées pour former les cadres de haut niveau dont l'État avait besoin. Il en existe dans plusieurs disciplines.

Les plus réputées sont :

- dans le domaine scientifique : l'École polytechnique (appelée « X ») et l'École centrale des arts et manufactures (dite « Centrale ») ;

- dans le domaine littéraire : les Écoles normales supérieures (dites « Normale sup ») ;

- pour le commerce : l'École des hautes études commerciales (HEC) et l'École supérieure des sciences économiques et commerciales (ESSEC) ;

- pour l'administration : l'École nationale d'administration (ENA) ;

- dans le domaine des sciences politiques : les Instituts d'études politiques (IEP), appelés « Sciences-Po ».

Il suffit de citer les noms de quelques anciens d'« X » (Carnot, Gay-Lussac, Poincaré, Arago, Becquerel, etc.) et de Centrale (Eiffel, Michelin, Peugeot, Blériot, etc.) pour se faire une idée de l'influence des grandes écoles dans le domaine scientifique.

Élèves de l'École polytechnique en grand uniforme

Grenoble, numéro un pour les nanotechnologies

Grenoble est aujourd'hui le site d'un des premiers pôles de compétitivité mondiale créé pour avancer la recherche en micro et nanotechnologies : Minatec. Attirant des cadres et des chercheurs du monde entier, c'est un exemple du dynamisme économique et scientifique grenoblois.

Activité 6.2.3 _____

A

Lisez le texte suivant et remplissez les blancs dans les phrases de la page 33.

Grenoble Toujours plus haut

Pour rejoindre son bureau du pôle d'innovation Minatec, à une vingtaine de kilomètres de Voiron, où il réside, David Holden délaisse souvent sa voiture et embarque son vélo à bord du train express régional. Ce New-Yorkais d'origine est plus grenoblois que nature : ingénieur, sportif, écolo... Une caricature ? À peine... Avec 21 000 chercheurs et plus de 60 000 étudiants, dont 16% d'étrangers, Grenoble est bel et bien une ville de (grosses) têtes et de jambes (actives). « 8 Grenoblois sur 10 ne sont pas dauphinois d'origine. Parmi eux, 70% ont avant tout été attirés par les montagnes, commente Geneviève Fioraso, adjointe au maire chargée du développement économique. Autre particularité : ils sont très mobiles. La population de l'agglomération se renouvelle par tiers tous les dix ans ! »

David Holden a ainsi quitté les sommets pendant quelques années, pour vivre à Fontainebleau, où il a suivi un cursus à l'INSEAD, puis à Montpellier, en Allemagne, et enfin aux États-Unis, avant de revenir dans la capitale du Dauphiné. « C'est fou le nombre de chercheurs passés par Grenoble à un moment de leur carrière que j'ai pu croiser à travers le monde ! s'étonne-t-il encore. Ils

en gardent tous un très bon souvenir. » Il y a quinze ans, cet ingénieur en sciences de la matière avait pourtant atterri ici par hasard : « Je débutais dans une entreprise américaine qui a vendu une technologie à Thomson. Comme je faisais partie du package, j'ai bouclé mes valises sans savoir ce qui m'attendait. » Il faut croire qu'il s'y est plu : il y a trois ans, il est revenu en toute connaissance de cause, pour devenir directeur marketing et stratégie de Minatec.

Une économie en hausse

La création de ce pôle d'excellence en micro et nanotechnologies est emblématique de la façon dont l'économie grenobloise s'est construite. Il y a eu les Jeux olympiques d'hiver en 1968, le Synchrotron en 1994 et, aujourd'hui, Minatec. Chacun de ces mégaprojets publics a, par effet de levier, généré des investissements privés, eux aussi de grande ampleur. Avant même l'inauguration de Minatec, STMicroelectronics, Philips et Freescale (groupe Motorola) ont ainsi consacré 3,5 milliards de dollars à Crolles pour créer l'Alliance, un pôle de recherche visant à mettre au point des technologies de fabrication de puces de 90 à 32 nanomètres sur des tranches de silicium de 300 millimètres. 3,5 milliards de dollars : c'est le plus gros investissement privé réalisé en France au cours des vingt dernières années !

Dans le sillage des grandes entreprises et des laboratoires de recherche se créent en permanence des start-up [...]. STMicroelectronics s'est développé à Grenoble dans l'orbite du Laboratoire d'électronique de technologie de l'information (Leti), créé en marge du Commissariat à l'énergie atomique (CEA) pour aider les industriels à trouver des applications concrètes à la recherche fondamentale. Des centaines d'entreprises ont vu le jour grâce au Leti. [...]

Cette culture de l'essaimage a permis à la ville de se développer, y compris quand certains de ses fleurons vacillaient. Les deux plans sociaux engagés par Hewlett-Packard (HP) en 2004 et 2005 ont suscité une polémique à l'encontre de ces « multinationales-qui-empochent-dessubventions-publiques-avant-de-délocaliser-leurs-activités-en-Chine-ou-en-Inde ». On a moins parlé des dizaines d'entreprises nées dans le sillage du géant de l'informatique. […]

La ville ne cesse de grandir

Passée de 80 000 âmes à la fin des années 1950 à 400 000 au tournant des années 2000, Grenoble s'est développée au rythme de l'arrivée des Italiens (fin du XIXe et début du XXe siècle), des pieds-noirs et des harkis au début des années 1960 (ils furent 35 000 dans l'ensemble du département) et de différentes vagues d'immigration liées à son industrialisation. Les activités high-tech et leurs bataillons d'ingénieurs ne sont arrivés que plus tardivement, dans les années 1970–1980, et sont venus compléter un tissu industriel toujours solide. […]

« Dans les années 1980–1990, de nombreuses entreprises industrielles ont décliné ou périclité, notamment dans l'agroalimentaire et le textile, se souvient [Gilles Dumolard], le président de la chambre de commerce et d'industrie. Le développement high-tech a été très volontariste. Il est né de la convergence vertueuse entre l'université, la recherche et l'industrie. »

(Sabine Germain « Grenoble : Toujours plus haut », *L'Express*, 25 janvier 2007)

Vocabulaire

plan social les mesures prises par une entreprise au moment d'un licenciement de personnel

Notes culturelles

Voiron ville dans le département de l'Isère, située à 25 km au nord de Grenoble

dauphinois adjectif dérivé du nom Dauphiné (m.) : le Dauphiné est une région historique française, composée des départements actuels de l'Isère, des Hautes-Alpes et de la Drôme, et dont Grenoble est la capitale

INSEAD Institut européen d'administration des affaires, école de management à Fontainebleau en région parisienne, très réputée pour son programme MBA

Thomson grande entreprise française spécialisée dans l'électronique

le CEA et le Leti le CEA a implanté son Centre d'études nucléaires à Grenoble en 1956, puis le Leti s'est créé en 1967

les pieds-noirs et les harkis ces deux expressions font référence aux groupes rapatriés en France au début des années soixante après l'indépendance de l'Algérie. Les « pieds-noirs » étaient les Français résidents en Algérie alors que le terme « harkis » désignait les militaires algériens engagés dans l'armée française et leurs familles

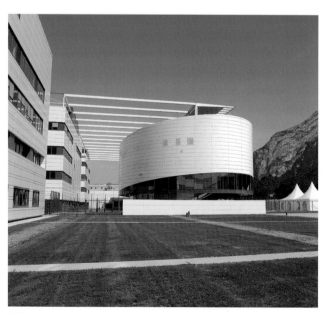

Minatec

1   David Holden vient de _____.

2   Il vit actuellement à _____ près de Grenoble.

3   Il a une formation d'_____.

4   Il est venu à Grenoble pour la première fois il y a _____ ans.

5   Il a fait des études à _____.

6   Il est revenu à Grenoble il y a _____ ans pour travailler à Minatec.

7   Il est aujourd'hui _____ de Minatec.

8   Trois grands projets ont contribué au développement et au dynamisme de Grenoble : (a) _____ ; (b) _____ ; et (c) _____.

9   Ces projets ont attiré d'importants _____.

10 L'implantation du Commissariat à l'énergie atomique (CEA) a aussi bénéficié à la ville : en marge du CEA s'est créé le _____ et grâce à sa force d'attraction, la grande entreprise _____ s'est développée à Grenoble.

11 À partir des activités de recherche et de développement générées par la société américaine, _____, de nombreuses nouvelles _____ se sont créées.

12 Au début du XXIe siècle, la population de Grenoble est de _____ habitants, par rapport à _____ à la fin des années cinquante.

13 Le développement high-tech de la ville a commencé dans les années _____.

14 Dans les années 1980–1990 Grenoble a vu le déclin des industries de l'_____ et du _____. Le dynamisme des nouvelles entreprises ont permis à Grenoble d'affronter cette crise.

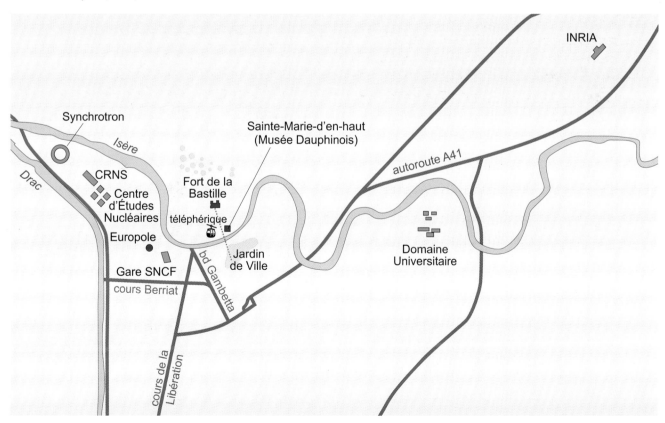

Grenoble

B

Répondez aux questions suivantes.

1   Selon le texte, quel est le portrait-type du Grenoblois, et en quoi David Holden correspond-il à ce portrait ?

2   Qu'est-ce que « l'Alliance » et comment a-t-elle contribué au développement de Grenoble ?

3   Certains ont critiqué la société américaine Hewlett-Packard : pourquoi ?

4   Selon le texte, c'est la convergence de quels éléments qui a permis le développement high-tech de la ville ?

Activité 6.2.4 _____

A

Relisez l'extrait suivant du texte. Notez l'usage des différents temps du passé (en gras). Pour chaque verbe, identifiez le temps et justifiez son emploi.

> David Holden **a** ainsi **quitté** (1) les sommets pendant quelques années, pour vivre à Fontainebleau, où il **a suivi** (2) un cursus à l'Insead, puis à Montpellier, en Allemagne, et enfin aux États-Unis, avant de revenir dans la capitale du Dauphiné. Il y a quinze ans, cet ingénieur en sciences de la matière **avait** pourtant **atterri** (3) ici par hasard : « Je **débutais** (4) dans une entreprise américaine qui **a vendu** (5) une technologie à Thomson. Comme je **faisais** (6) partie du package, j'**ai bouclé** (7) mes valises sans savoir ce qui m'**attendait** (8). » Il faut croire qu'il s'y **est plu** (9) : il y a trois ans, il **est revenu** (10) en toute connaissance de cause, pour devenir directeur marketing et stratégie de Minatec.

B

Dans ce témoignage d'un chercheur grenoblois, mettez les verbes entre parenthèses au temps du passé voulu.

> Comme la plupart des Grenoblois, je ne suis pas originaire de Grenoble. Je (naître) _____ à Bruxelles et je (faire) _____ ma licence de mathématiques à Amsterdam. Je (venir) _____ à Grenoble pour faire un doctorat en nanotechnologies. Je (faire) _____ ce choix parce que cette ville (être) _____ dynamique et qu'elle _____ (offrir) tant de possibilités pour un jeune chercheur. Je (terminer) _____ ma thèse en 2004 et je (être) _____ recruté par un centre de recherche en 2006.

Activité 6.2.5 _____

A

Ces cinq expressions liées au domaine de la science sont employées dans l'article sur Minatec que vous allez lire. Associez chacune à sa définition.

1	l'acier	(a)	Pièce dans laquelle on a vidé l'air de presque toutes les particules afin de permettre, par exemple, la fabrication de circuits intégrés.
2	l'ADN	(b)	Minéral fibreux, dont les poussières représentent un danger pour la santé.
3	l'amiante	(c)	Alliage de fer et de carbone très résistant aux chocs.
4	une salle blanche	(d)	Molécule contenant l'information génétique héréditaire.
5	un thésard	(e)	Personne qui prépare une thèse de doctorat.

B

Lisez maintenant le texte suivant, paru au moment de l'inauguration de Minatec. Identifiez ensuite le paragraphe du texte consacré à chacun des cinq thèmes à la page 36.

L'anneau du Synchrotron à Grenoble

Minatec

Le centre Minatec […] entend doter la France d'un outil de recherche, d'enseignement et de développement sur les technologies de l'infiniment petit unique en Europe […].

Un écran de TV ultra-plat que l'on roulera et glissera dans une poche, une puce électronique de quelques centimètres carrés capable de pratiquer une analyse de sang ou d'ADN en quelques minutes, un téléphone portable intégré au vêtement : telles sont quelques unes des applications des micro (un millionième de mètre) et nanotechnologies (un milliardième de mètre) actuellement en cours d'étude ou de développement à Grenoble […].

Ces technologies de l'infiniment petit, véritable enjeux pour les industriels, sont d'ores et déjà présentes dans notre quotidien. Ainsi, un fabriquant de raquettes de tennis vient de sortir une gamme intégrant des nano-tubes de carbone, un matériau cent fois plus résistant que l'acier mais six fois moins lourd. […]

Situé entre la gare SNCF de Grenoble et le Synchrotron sur un site de huit hectares, Minatec dispose de 45 000 m^2, dont à terme 11 000 m^2 de salles blanches, et une possibilité d'extension de 50 000 m^2 sur un terrain voisin. « Tout est étudié pour que les chercheurs, étudiants, industriels, thésards se rencontrent autour des machines à café ou du restaurant du site et échangent leurs idées, indique Geneviève Fioraso, adjointe au maire de Grenoble, chargée de l'économie. […]

Mais le projet Minatec est aussi l'objet de contestation, y compris dans le monde de la recherche. Certains chercheurs dénoncent les risques des micro et nanotechnologies. Ils citent l'exemple des nanotubes de carbone dont les poussières pourraient se révéler aussi dangereuses que l'amiante. Pour répondre à ces craintes, André Vallini, [président (PS) du conseil général de l'Isère] a proposé la création d'une haute autorité internationale pour le contrôle des nanotechnologies semblable à l'AIEA qui gère les activités nucléaires dans le monde.

Plusieurs organisations altermondialistes, écologistes ou anti-nucléaire ont manifesté jeudi et vendredi [les 1er et 2 juin 2006] à Grenoble pour réclamer l'arrêt de Minatec. Elles dénoncent dans ces « nécrotechnologies » le risque de « flicage généralisé » induit par les nouvelles techniques avec le marquage des individus avec des micro-puces, l'utilisation de ces technologies par les militaires, la possibilité de modifier les capacités physiques et intellectuelles des individus et la prolifération de nano-robots.

(Claude Perdriel « Le centre Minatec inauguré à Grenoble », *Le Nouvel Observateur*, 2 juin 2006)

Vocabulaire

flicage (arg., péj.)   surveillance non-justifiée et répressive. Vient de « flic » (arg.) : un policier.

Notes culturelles

Synchrotron   accélérateur de particules qui permet de « voir » à l'échelle du nanomètre. Installé à Grenoble, c'est le fruit d'une collaboration entre 19 pays européens.

AIEA   l'Agence internationale de l'énergie atomique, ce qui dépend du Conseil de sécurité des Nations Unies

1   Les différentes applications des nanotechnologies

2   La contestation de Minatec par des groupes alternatifs

3   Une description de Minatec

4   Le but de Minatec

5   La contestation de Minatec par des scientifiques

C

Répondez aux questions suivantes.

1   Notez les quatre exemples d'applications des micro et nanotechnologies donnés dans le texte.

2   Notez les aspects positifs de Minatec selon le texte.

3   Quelles craintes sont soulevées par les micro et nanotechnologies pour (a) certains chercheurs, et (b) des groupes alternatifs ?

4   Quelle solution est proposée pour répondre aux inquiétudes des chercheurs ?

5   Comprenez-vous le sens du mot « nécrotechnologies », inventé par les groupes alternatifs pour désigner les nouvelles technologies ? Si oui, expliquez-le. Si non, essayez de le comprendre en cherchant le sens d'autres mots qui commencent par le préfixe « nécro- » dans votre dictionnaire.

Activité 6.2.6

Le texte sur le centre Minatec donne des exemples d'applications des technologies de l'infiniment petit, tels qu'un téléphone portable intégré à un vêtement. Il existe déjà des cas d'implants de puces d'identification par radiofréquence dans le corps humain qui peuvent, par exemple, servir à remplacer des clefs pour ouvrir une maison ou une voiture, ou pour donner accès à une zone confidentielle dans une entreprise ou un bâtiment officiel.

En laissant libre cours à votre imagination, inventez une application des « technologies de l'infiniment petit » qui vous semblerait utile dans votre vie quotidienne. Décrivez-la en environ 100 mots.

Activité 6.2.7

Habitant de Grenoble en juin 2006, auriez-vous participé à la manifestation contre Minatec ?

Rédigez un court texte de 100 à 150 mots pour donner votre point de vue, en indiquant quelles actions vous auriez prises pour défendre Minatec, ou pour vous y opposer.

O6.4 Ajouter des précisions à un nom

Pour ajouter des précisions à un nom, par exemple, pour décrire un objet, on peut employer les quatre moyens suivants :

1   Des adjectifs

une puce **électronique**, un téléphone **portable**, une centrale **nucléaire**

une puce **capable de** pratiquer une analyse de sang ou d'ADN

un téléphone **portable intégré** au vêtement

Notez que l'on peut ajouter des préfixes aux adjectifs :

anti (contre) → une manifestation **anti**raciste

auto (qui agit de soi-même) → le verre **auto**nettoyant

hyper (très) → un problème **hyper**complexe

micro (petit) → ce problème relève de la **micro**électronique

ultra (très) → un écran **ultra**-plat

2   Une préposition + un nom

un élément constituant → un écran **de télévision**

la matière → des nanotubes **de carbone**, des tranches **de silicium**

la dimension → une puce **de 90 nanomètres**

la fonction → une machine **à café**

la source énergétique → une pompe **à main**, un train **à** vapeur

3   Une préposition + un infinitif

un fer **à repasser**

une machine **pour voyager** dans le temps

4   Une proposition relative

un appareil **qui marche** à l'énergie solaire

une puce **qu'on implante** sous la peau

Activité 6.2.8 _____

A

Remettez les mots ci-dessous dans l'ordre et créez le nom de cinq inventions.

1

machine   nettoyante   café   auto

2

voyage   fer   ultra   léger   repasser   pour

3

hydrogène   voiture

4

odeurs   capable   puce   identifier   micro

5

capable   emballage   indiquer   temps de cuisson

B

Imaginez le nom de cinq autres inventions en utilisant les structures décrites dans l'encadré O6.4.

C

Parmi les innovations de l'étape A, laquelle vous semble la plus utile ? Expliquez votre choix en 50 mots environ.

Les pères fondateurs : Joseph Fourier et Aristide Bergès

Scientifique, engagé dans la vie publique, ouvert aux idées innovantes, cherchant des solutions aux problèmes pratiques : ces qualités caractérisent deux hommes qui ont marqué l'histoire de Grenoble et fondé le développement de la région en tant que pôle de recherche et d'innovation technologique, Joseph Fourier et Aristide Bergès.

Activité 6.2.9

A

Lisez ces deux portraits et remplissez le tableau à la page 39.

Joseph Fourier (né le 21 mars 1768 à Auxerre) est l'un des initiateurs de la théorie mathématique des phénomènes physiques. Il consacra ses premiers travaux à l'étude de théorèmes généraux relatifs à la résolution d'équations algébriques. Il présenta un mémoire sur ce sujet devant l'Académie des sciences le 9 décembre 1789.

Après des études à l'École militaire d'Auxerre et un début de carrière dans l'enseignement public, il devint membre du corps enseignant à la nouvelle École polytechnique en 1795, poste qu'il occupa jusqu'en 1797. Recruté par Gaspard Monge, il partit en 1798 avec les scientifiques de l'expédition d'Égypte. En créant l'Institut d'Égypte, Napoléon Bonaparte désigna Fourier pour en être le Secrétaire perpétuel. Joseph Fourier séjourna en Égypte jusqu'en 1801 où il mena des travaux scientifiques, historiques, administratifs et diplomatiques.

À son retour en France en 1802, il fut nommé préfet du département de l'Isère. Son nom reste attaché à des grands travaux (assèchement des marais de Bourgoin, ouverture de la route de Grenoble à Turin). Il s'intéressa également à l'enseignement scientifique et installa en 1811 une Faculté des sciences à Grenoble. Il trouva cependant suffisamment de temps pour effectuer pendant cette période l'essentiel de son œuvre scientifique. Le 21 décembre 1807, il soumit à l'Institut national des sciences et des arts un premier mémoire intitulé « Théorie de la propagation de la chaleur dans les solides ». L'Institut couronna ses travaux en 1812 par le grand prix de mathématiques de l'Institut.

Révoqué de la vie publique en mai 1815, élu Membre de l'Académie des sciences en 1817, puis Secrétaire perpétuel pour la division des mathématiques en 1822, il consacra l'essentiel de son temps à cette fonction tout en continuant à publier des travaux scientifiques. Il mourut le 16 mai 1830. La Faculté des sciences, devenu l'Université scientifique et médicale de Grenoble en 1971, porte aujourd'hui son nom : l'Université Joseph Fourier.

(Adapté de « Joseph Fourier », www.academie-sciences.fr/MEMBRES/in_memoriam/Fourier/Fourier_oeuvre.htm, dernier accès le 17 décembre 2008)

l'expédition d'Égypte expédition militaire et scientifique lancée par Napoléon Bonaparte en 1798

les marais de Bourgoin région marécageuse située à 70 km au nord-est de Grenoble

Aristide Bergès, fils d'un fabricant de papier de l'Ariège, est né à Lorp le 4 septembre 1833. Brillant élève de l'Ecole centrale des arts et manufactures, il fait preuve dès sa sortie d'un réel esprit inventif. Il met au point une pillonneuse à vapeur qui effectue un revêtement d'asphalte autour de l'Arc de Triomphe, ainsi qu'un défibreur capable de produire une pâte à papier homogène.

Venu monter une papeterie à Lancey il a le coup de foudre pour cette région adossée au massif de Belledonne. Il y installe une centrale électrique équipée d'une turbine mue par l'eau d'une chute de 200 mètres de hauteur, que vient compléter en 1891 une chute de 500 mètres. Il dispose alors d'une puissance de six mille chevaux qui lui permet de fabriquer plus de deux mille tonnes de papier par an. À l'exposition universelle de Paris de 1889, Bergès distribue un tract dans lequel il baptise son invention « la houille blanche » : écrivant que « les glaciers des montagnes peuvent, étant exploités en forces motrices, être pour leur région et pour l'État des richesses aussi précieuses que la houille des profondeurs. Lorsqu'on regarde la source des milliers de chevaux ainsi obtenus et leur puissant service, les glaciers ne sont plus des glaciers ; c'est la mine de la houille blanche, à laquelle on puise, et combien préférable à l'autre ».

Prévoyant l'essor prodigieux de la force hydro-électrique il expose une turbine portant l'inscription : « cinq millions de chevaux pour les Alpes seules ».

Esprit positiviste, il considère que le progrès technique doit servir au progrès social. Il fait installer l'électricité dans les maisons du hameau de Lancey ; puis pousse la municipalité de Grenoble à une expérience d'éclairage public à l'occasion du 14 juillet 1882. En 1896, il fonde la Société d'éclairage électrique du Grésivaudan, point de départ de notre moderne Electricité de France. Non content de fournir de l'électricité à bas prix à toute la vallée, il alimente la ligne de tramway de Grenoble à Chapareillan.

Il meurt à Lancey le 28 février 1904, un an après avoir reçu l'hommage du Congrès pour l'avancement des Sciences.

(Adapté de « Aristide Bergès », www.ville-st-girons.fr/culture/berges/berges.htm et http://fr.wikipedia.org/wiki/Aristide_Berg%C3%A8s, dernier accès le 17 décembre 2008)

Notes culturelles

Lancey ville située près de Grenoble dans la vallée du Grésivaudan

le Grésivaudan vallée des Alpes françaises située entre le massif de la Chartreuse et le massif de Belledonne

	Joseph Fourier	Aristide Bergès
Formation		
Fonctions		
Inventions/ Recherche		
Travaux publics		
Prix/ Honneurs		

B

Relisez la biographie d'Aristide Bergès et trouvez-y les mots (ou expressions) qui correspondent aux définitions ci-dessous.

1   Ce qui couvre une surface pour la protéger ou l'embellir

2   Mélange mou de cellulose, matière de base dans la fabrication du papier

3   Ancienne unité de puissance, équivalent à 736 watts

4   Petite brochure, souvent de propagande

5   Combustible minéral, généralement noir

C

Relisez le premier paragraphe de chaque portrait. Notez le temps des verbes qui expriment une action ou un événement : est-ce que le même temps est employé dans les deux textes ?

G6.2   Le passé simple

Le passé simple s'emploie pour évoquer les actions et les événements d'un passé considéré comme lointain, coupé du présent. Il peut être utilisé à la place du passé composé dans les récits littéraires et historiques :

Joseph Fourier **partit** en 1798 avec les scientifiques de l'expédition d'Égypte.

Napoléon Bonaparte **désigna** Fourier pour en être le Secrétaire perpétuel.

À son retour en France en 1802, il **fut** nommé préfet du département de l'Isère.

Les formes du passé simple les plus fréquentes sont celles de la troisième personne du singulier et du pluriel que vous pouvez reconnaître facilement par leur terminaison :

Verbes réguliers qui se terminent par « -er »		
Infinitif	Passé simple	
	3e personne du singulier	3e personne du pluriel
présenter	il présent**a**	ils présent**èrent**
consacrer	il consacr**a**	ils consacr**èrent**

Verbes réguliers qui se terminent par « -ir » et « -re »		
Infinitif	Passé simple	
	3e personne du singulier	3e personne du pluriel
finir	il fin**it**	ils fin**irent**
vendre	il vend**it**	ils vend**irent**

Les verbes irréguliers ont souvent une forme proche du participe passé :

Infinitif	Passé composé	Passé simple	
		3e personne du singulier	3e personne du pluriel
avoir	Il a **eu**	il eut	ils eu**rent**
vouloir	Il a **voulu**	il voulut	ils voulu**rent**
partir	Il est **parti**	il part**it**	ils part**irent**

Mais certain verbes parmi les plus utilisés ont une forme très irrégulière au passé simple :

Infinitif	Passé simple	
	3e personne du singulier	3e personne du pluriel
écrire	il écrivit	ils écrivirent
être	il fut	ils furent
faire	il fit	ils firent
mourir	il mourut	ils moururent
naître	il naquit	ils naquirent
venir	il vint	ils vinrent
voir	il vit	ils virent

Dans l'activité suivante, vous allez voir que la recherche grenobloise ne se fait pas seulement dans des laboratoires en centre-ville. Vous allez travailler sur le passé simple tout en découvrant le Chalet-Laboratoire du Lautaret.

Activité 6.2.10

A

Lisez le texte suivant et identifiez-y les verbes au passé simple. Pour chacun, donnez son infinitif.

La Station Alpine Joseph Fourier

La Station Alpine Joseph Fourier est une structure scientifique qui dépend de l'Université Joseph Fourier à Grenoble, et du Centre national de la recherche scientifique, le CNRS. Elle est située au col du Lautaret, vers 2 100 m d'altitude, à environ 90 km de Grenoble par la route. La station comporte le jardin botanique du Lautaret, qui fut créé en 1899, un arboretum, créé en 1966, et le Chalet-Laboratoire du Lautaret, qui ouvrit ses portes en 1989. À sa création, on donna au chalet la mission de mener des recherches en physiologie, en biochimie et en génétique des plantes alpines. En 2007, les chercheurs de la station reçurent le grand prix de la Fondation Louis Prince de Polignac pour leur contribution à la recherche.

(Adapté de « Station Alpine Joseph Fourier », http://sajf.ujf-grenoble.fr/, dernier accès le 18 décembre 2008)

B

Faites correspondre les descriptions suivantes aux noms des temps qui conviennent.

1 Un événement dans le présent   (a) l'imparfait

2 Des événements dans le passé   (b) le passé simple

3 Un état ou une description dans le passé   (c) le présent

C

Maintenant complétez le texte suivant en utilisant les verbes de l'encadré.

> abritait • accueille • créa • était • fut • ouvrit • vit • voulut

Le jardin botanique du Lautaret

Le jardin alpin (1) _____ le jour à la fin du XIXe siècle, grâce au professeur Lachmann. Celui-ci (2) _____ titulaire de la chaire de botanique à la Faculté des Sciences de Grenoble. Dès l'origine, il (3) _____ combiner recherche et accueil du public. Il (4) _____ donc trois jardins alpins. Le jardin du Lautaret (5) _____ en 1899. Il (6) _____ une collection de 500 espèces de plantes alpines. Après des années de déclin, un nouvel essor (7) _____ donné au jardin du Lautaret au début des années 1980. Il (8) _____ aujourd'hui environ 30 000 visiteurs tous les étés.

(Adapté de « Jardin botanique alpin du Lauteret », http://sajf.ujf-grenoble.fr/, dernier accès le 18 décembre 2008)

G6.3 Passé simple ou présent de narration ?

Le passé simple tend à perdre du terrain. En dehors des œuvres littéraires, le présent est souvent employé pour raconter à l'écrit les événements du passé, en particulier dans un style journalistique :

> Bergès **fonde** en 1896 la Société d'éclairage électrique du Grésivaudan.
>
> Il **meurt** à Lancey le 28 février 1904.

Cependant, on peut trouver dans un même texte le présent et le passé simple. Le présent est souvent employé au début pour créer un lien avec le lecteur. Le passé simple est alors employé pour marquer quelques incidents clés du récit :

> Catherine Mollet s'**installe** à Grenoble en 1972 et **fonde** un nouveau laboratoire de recherche. Elle y **fit** des découvertes révolutionnaires avec ses étudiants.

Activité 6.2.11

Comment expliquer le dynamisme de Grenoble ? Relisez vos notes et documentez-vous en consultant éventuellement des sites Internet. Rédigez un texte de 300 à 350 mots. Voici quelques points pour vous aider :

- À la fin du XIXe siècle – la découverte de la houille blanche

- Grâce à cette innovation, l'implantation des industries lourdes

- Expansion après la guerre – l'implantation des centres de recherche (CEA, Leti)

- Une ville universitaire orientée vers les sciences appliquées

- L'arrivée des entreprises spécialisées dans les nouvelles technologies

- Réorientation face au déclin des industries traditionnelles

- Grands projets – Jeux olympiques de 1968, Synchrotron, Minatec = investissements

- Collaboration – collectivités locales, entreprises, universités, centres de recherche

- Infrastructure excellente, caractère cosmopolite et cadre naturel exceptionnel = dynamisme

Session 3 Sciences et éthique

Dans cette session, vous allez travailler sur les questions éthiques posées par les sciences dans deux domaines. D'une part, autour de la biométrie, vous allez considérer les rapports entre l'utilisation de la science à des fins politique et policière et les questions que cela soulève en matière de liberté individuelle. D'autre part, vous allez envisager les problèmes éthiques posés par l'utilisation de la génétique et du clonage.

Points clés

- G6.3 Le discours indirect au passé

- C6.3 La loi « Informatique et libertés »

- C6.4 Le Comité consultatif national d'éthique

- O6.5 Le texte polémique 1 : présenter son point de vue

- O6.6 Le texte polémique 2 : répliquer à l'adversaire

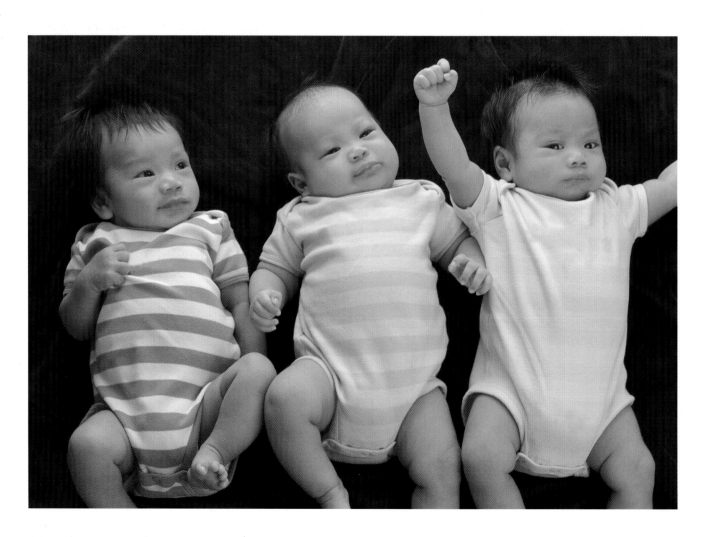

La biométrie

Dans cette section, vous allez d'abord lire un texte qui explique ce qu'est la biométrie. Puis vous examinerez les principaux arguments pour et contre la biométrie tels qu'ils sont exposés dans un débat publié dans l'hebdomadaire *L'Express*, qui confronte deux réponses différentes à la question « Faut-il avoir peur de la biométrie ? »

Activité 6.3.1 _____

Lisez les définitions ci-dessous. À partir de la liste donnée, associez à chaque terme défini les enjeux éthiques qui lui correspondent.

1   Biométrie : techniques permettant l'identification d'une personne à partir de caractéristiques biologiques, telles que les empreintes digitales ou l'iris.

2   Clonage : multiplication artificielle de cellules animales à partir d'une cellule unique.

3   Nanotechnologies : conception et fabrication, atome par atome, de minuscules structures invisibles à l'œil nu.

   (a)   la méconnaissance des risques pour la santé de particules microscopiques

   (b)   l'utilisation abusive de données à caractère personnel

   (c)   la création artificielle d'un être vivant

   (d)   la surveillance renforcée et invisible de l'individu

   (e)   l'extraction de cellules souches d'embryons humains

   (f)   l'identification erronée des personnes

Activité 6.3.2 _____

A

Lisez le texte suivant et dites si les affirmations à la page 46 sont vraies ou fausses. Corrigez celles qui contiennent une information incorrecte.

Qu'est-ce que la biométrie ?

La biométrie est un ensemble de techniques qui visent à établir l'identité de quelqu'un en mesurant une ou plusieurs de ses caractéristiques physiques (l'empreinte digitale, l'œil, le visage ou la géométrie de la main) ou comportementales (la signature, la voix ou même les frappes au clavier).

Grâce à l'automatisation, la biométrie permet aujourd'hui des moyens d'identification et de contrôle d'accès plus sûrs que les systèmes classiques tels que codes, mots de passe, badges et cartes, car les risques de vol, d'oubli, de duplication ou de perte sont supprimés. Les dispositifs biométriques sont de plus en plus présents dans les aéroports, les entreprises, les prisons, les banques et même dans les lycées et les universités.

Comment ça fonctionne ?

Grâce à de nombreux capteurs électroniques, les appareils de biométrie enregistrent les caractéristiques uniques d'une partie du corps ou d'un comportement. Ces données sont alors stockées en mémoire par un logiciel, ce qui permet l'identification ultérieure de l'individu.

La biométrie peut ainsi nous faciliter la vie quotidienne et assurer une meilleure sécurité : plus besoin de taper son mot de passe pour faire démarrer son ordinateur, il suffit de mettre son doigt sur un lecteur électronique qui en vérifie les caractéristiques uniques.

Peut-on s'y fier ?

Mais peut-on se fier à la biométrie ? Les systèmes biométriques ne sont pas encore fiables à 100% car deux enregistrements de données biométriques ne sont jamais rigoureusement identiques. Il existe donc toujours le risque qu'un voyageur innocent soit identifié comme criminel recherché ou qu'un employé « valide » se voie refuser l'entrée à son entreprise.

Il faut aussi reconnaître que les bases de données biométriques ne sont ni plus ni moins vulnérables que tout autre fichier électronique. D'ailleurs, c'est justement l'usage abusif des ces informations très personnelles qui préoccupent ceux qui voient dans la biométrie une atteinte aux libertés individuelles.

		Vrai	Faux
1	La biométrie identifie toujours une personne uniquement par son aspect physique.	☐	☐
2	Les dispositifs biométriques évitent les problèmes de vol et de perte associés aux moyens d'identification classiques.	☐	☐
3	La biométrie est de plus en plus utilisée pour assurer la sécurité des lieux publics et privés.	☐	☐
4	La biométrie ne peut pas être exploitée dans la vie de tous les jours.	☐	☐
5	La biométrie est un moyen d'identification infaillible.	☐	☐

B

Trouvez dans le texte l'équivalent de ces expressions :

1 la marque laissée par le doigt

2 les équipements

3 futur (adjectif)

4 commencer à fonctionner

5 avoir confiance

6 qui n'est pas justifié (adjectif)

7 une attaque

Dans l'activité qui suit, vous allez envisager le point de vue d'une personne qui est contre l'usage de la biométrie.

Activité 6.3.3 _____

A

Lisez le texte suivant puis complétez les phrases de la page 48 avec les expressions proposées, afin de résumer le point de vue d'Alain Weber.

Faut-il avoir peur de la biométrie ?

Le recours croissant aux techniques d'identification par des données physiques (carte d'identité biométrique) relance le débat sur le juste équilibre entre sécurité et liberté.

Oui – Alain Weber

Avocat, responsable de la commission Informatique et libertés de la Ligue des droits de l'homme

« De tels fichiers seraient un danger entre de mauvaises mains »

La biométrie utilisée dans une perspective policière peut être très dangereuse pour les libertés individuelles. Quelle que soit l'émotion que suscitent les attentats, nous ne devons pas tomber dans le piège des terroristes et faire usage d'une législation aussi scélérate que les actes que l'on cherche à combattre.

Le gouvernement vient d'ajourner un projet qui risque de voir le jour : insérer des éléments biométriques dans les cartes d'identité, une photo de face et les empreintes digitales. Ce projet, baptisé INES, implique le fichage de toute la population française, ce qui permettrait à la police de centraliser nombre d'informations vitales. C'est là le propre non d'une société démocratique, mais d'une société policière.

Pour faire passer ce projet, on mélange les missions assignées à la biométrie, et de cette confusion peut naître un réel danger. Les prétextes sont divers. Combattre le terrorisme ? La biométrie n'aura aucune influence directe sur la lutte contre ce fléau. Traquer les faux papiers ? Celui qui se présentera à la frontière avec un visa biométrique associé à un faux état civil passera aisément tout contrôle. Les arguments en faveur de la biométrie ne tiennent pas la route. Dans une ambiance de psychose générale – un jeune Brésilien l'a payé de sa vie dans le métro londonien – des fichiers biométriques mis entre de mauvaises mains constitueraient un énorme danger. Empêchons nos ministres d'être des apprentis sorciers !

Quand d'autres moyens existent et font montre de leur efficacité, quel besoin a-t-on de mettre en place une investigation quasi biologique sur les individus ? Il s'agit non pas d'interdire la biométrie, mais de la canaliser, de ne pas mélanger ses missions et de faire un bilan entre les avantages et les coûts. Dans les entreprises, il faut interdire l'usage de la biométrie. Des centaines de milliers de salariés risquent de voir les données les concernant conservées dans des fichiers dont on sait que la sauvegarde est sans cesse mise en péril. La Commission nationale de l'informatique et des libertés (CNIL) n'est pas en mesure de surveiller ces fichiers extrêmement sensibles, d'autant moins depuis qu'une loi récente [...] lui a coupé les ailes : désormais, l'État a les moyens juridiques de s'asseoir sur les avis de la CNIL. Soyons vigilants !

(Julien Jeanneney et Olivier Guillemain, « Faut-il avoir peur de la biométrie ? », *L'Express*, 5 septembre 2005)

Vocabulaire

INES   le projet de carte d'identité nationale électronique sécurisée, approuvé en avril 2005

s'asseoir   (ici) ne pas prendre en compte

1 La biométrie caractérise...	(a) elle est canalisée, ses missions ne sont pas mélangées et si on fait un bilan entre les avantages et les coûts.
2 La biométrie peut être dangereuse pour...	(b) la CNIL.
3 La biométrie est inefficace pour...	(c) les entreprises.
4 La biométrie peut être efficace si...	(d) les libertés individuelles.
5 La biométrie doit être interdite dans...	(e) traquer les faux papiers.
6 La biométrie doit être surveillée par...	(f) une société policière.

B

Dans ce texte, Alain Weber utilise des expressions à forte connotation négative qui expriment ses inquiétudes face aux dangers de la biométrie. Identifiez ces expressions dans la liste suivante.

1 entre de mauvaises mains ☐

2 ajourner un projet ☐

3 tomber dans le piège ☐

4 une législation scélérate ☐

5 la population française ☐

6 une société policière ☐

7 aucune influence directe ☐

8 ce fléau ☐

9 les arguments en faveur ☐

10 une ambiance de psychose générale ☐

11 être des apprentis sorciers ☐

C6.3 La loi « Informatique et libertés »

Les technologies d'information et de communication (Internet, téléphone portable, cartes à puce) nous facilitent la vie et permettent de lutter contre la criminalité (biométrie, vidéosurveillance). Cependant, avec la généralisation de l'information numérique, les risques d'une exploitation abusive et illégale sont accrus.

En France, la loi « Informatique et libertés » (LIL) existe depuis 1978 pour protéger les citoyens contre les dangers de l'informatisation croissante des données personnelles. La loi précise quelles données peuvent être collectées, par quels organismes et dans quelles conditions. Elle prévoit le droit d'accès de l'individu aux informations le concernant et le droit de rectification s'il les juge incorrectes. La Commission nationale de l'informatique et des libertés (CNIL) est responsable de l'application de cette loi.

12 faire un bilan ☐

13 mis en péril ☐

14 les moyens juridiques ☐

15 lui a coupé les ailes ☐

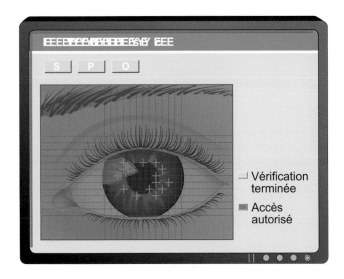

Vous allez maintenant examiner le point de vue opposé sur la question de la biométrie à travers une personne qui est favorable à son utilisation.

Activité 6.3.4 _____

A

Lisez les propos de Jean-René Lecerf en faveur de la biométrie. Remettez ses arguments à la page 50 dans le bon ordre.

Faut-il avoir peur de la biométrie ?

Non – Jean-René Lecerf

Sénateur UMP du Nord. Auteur du rapport de la mission d'information sur la fraude documentaire

« Le système actuel est une passoire »

Il est naturel d'éprouver une certaine appréhension envers la biométrie. Seulement il ne faut se tromper ni de débat ni d'enjeux. La biométrie est bien plus qu'un simple moyen de suivre chaque individu à la trace. Elle accompagnera le XXIᵉ siècle. Car, à l'heure où la mondialisation frappe à la porte de l'Europe, où le terrorisme pétrifie l'Occident, la France ne saurait faire l'économie d'un tel progrès scientifique.

La France a accumulé un retard significatif en matière de biométrie. Une absence certaine de volonté est en cause : la terre des droits de l'homme se veut garante de la liberté, au prix de la sécurité. Triste constat qui fait aujourd'hui de l'Hexagone un élève moyen de la classe européenne, alors que les entreprises françaises spécialisées dans les applications biométriques comptent parmi les plus compétentes...

Une contradiction de plus pour l'« exception française ». Car les faits sont là : notre système de passeports est une véritable passoire. La fraude est significative. Entre 1999 et 2004, le ministère de l'Intérieur a recensé le vol de 84 464 titres vierges (passeports, permis de conduire, cartes grises, visas). Par ailleurs, 2 835 fausses cartes nationales d'identité ont été interceptées en 2002 par la police aux frontières. À l'heure actuelle, la biométrie est la seule technologie permettant l'identification de millions de personnes, dissuadant les velléités d'usurpation.

Elle ferait figure de réponse habile aux défis sécuritaires posés par le terrorisme. Présente depuis peu au sein des aéroports et de certains bâtiments officiels, son aide est précieuse et demeure déclinable. La généralisation des applications biométriques pourrait notamment gripper d'autres trafics moins médiatisés, tels que la traite humaine ou l'immigration illégale. Moins graves, certaines infractions, comme la fraude aux examens, à la Sécurité sociale, seraient plus facilement détectables.

Il faut renverser le « syndrome Big Brother ». Montrer que liberté et sécurité ne s'excluent pas mutuellement. Imaginons qu'un fichier central de données biométriques soit créé, qui offrirait à chacun un accès libre, sécurisé et gratuit pour les renseignements le concernant : on saurait quelle instance a consulté sa fiche d'identité et dans quel cadre. Ne serait-ce pas là un gain de liberté ?

(Julien Jeanneney et Olivier Guillemain, « Faut-il avoir peur de la biométrie ? », *L'Express*, 5 septembre 2005)

Vocabulaire

les velléités d'usurpation   les tentatives de vol d'identité

déclinable   qui peut prendre différentes formes

gripper   arrêter, empêcher

instance   ici, autorité

(a) C'est une ironie que les autorités françaises soient à la traîne par rapport à la biométrie car les entreprises françaises sont parmi les plus spécialisées dans le développement des outils biométriques.

(b) Il ne faut plus opposer liberté et sécurité.

(c) La biométrie est le seul outil capable de répondre aux problèmes actuels de sécurité.

(d) La France est déjà en retard par rapport à d'autres pays européens qui ont déjà mis en place des dispositifs biométriques.

(e) Les applications de la biométrie vont bien plus loin que la lutte contre le terrorisme.

(f) Les cas de fraude et de vol concernant les titres d'identité sont nombreux en France.

B

Répondez aux questions suivantes.

1 Jean-René Lecerf cite deux exemples de phénomènes actuels qui suscitent des inquiétudes : lesquels ?

2 Que signifie l'expression : « notre système est une véritable passoire » ?

3 À part la lutte contre le terrorisme, dans quels autres domaines la biométrie serait-elle utile, d'après Jean-René Lecerf ?

C

Jean-René Lecerf emploie souvent dans son texte des expressions à connotation positive en référence à la biométrie. Identifiez-les dans la liste ci-dessous.

1 suivre chaque individu à la trace ☐

2 elle accompagnera le XXIe siècle ☐

3 un tel progrès scientifique ☐

4 l'Hexagone ☐

5 a recensé le vol ☐

6 la seule technologie ☐

7 ferait figure de réponse habile ☐

8 son aide est précieuse ☐

9 seraient plus facilement détectables ☐

10 un accès libre, sécurisé et gratuit ☐

11 un gain de liberté ☐

G6.3 Le discours indirect au passé

Pour rapporter les paroles de quelqu'un, on emploie souvent un verbe introducteur au passé composé. Il faut alors modifier le temps des verbes du discours rapporté, comme vous allez le remarquer dans cet extrait de compte-rendu du débat que vous venez de lire.

Alain Weber **a** d'abord **précisé** que la biométrie utilisée dans une perspective policière *pouvait* être très dangereuse pour les libertés individuelles. Il **a insisté** sur le fait que la biométrie n'*aurait* aucune influence directe ni sur le combat contre le terrorisme ni sur la lutte contre les faux papiers. Il **a fait remarquer** que d'autres moyens *existaient* et **a déclaré** qu'une « investigation quasi biologique sur les individus » n'*était* pas justifiée.

Discours direct	Discours indirect
Présent	**Imparfait**
La biométrie **peut** être très dangereuse.	Alain Weber a précisé que la biométrie **pouvait** être très dangereuse.
Futur	**Conditionnel**
La biométrie n'**aura** aucune influence directe...	Alain Weber a insisté sur le fait que la biométrie n'**aurait** aucune influence directe...
Passé composé	**Plus-que-parfait**
La France **a accumulé** un retard significatif en matière de biométrie.	Jean-René Lecerf a estimé que la France **avait accumulé** un retard significatif en matière de biométrie.

Vous avez sans doute noté qu'un verbe au conditionnel ne change pas dans le discours rapporté. C'est le cas aussi pour un verbe à l'imparfait.

Discours direct	Discours indirect
Conditionnel La France ne **saurait** faire l'économie de ce progrès scientifique.	**Conditionnel** Jean-René Lecerf a dit que la France ne **saurait** faire l'économie de ce progrès scientifique.
Imparfait Il y **avait** moins de difficultés autrefois.	**Imparfait** Alain Weber a déclaré qu'il y **avait** moins de difficultés autrefois.

Voici une liste des verbes les plus souvent employés pour introduire du discours rapporté :

• ajouter	• faire remarquer
• annoncer	• indiquer
• conclure	• juger
• confirmer	• noter
• considérer	• préciser
• déclarer	• poursuivre
• demander	• rappeler
• dire	• répondre
• estimer	• signaler
• expliquer	• souligner

Activité 6.3.5

Mettez les propos suivants au discours rapporté en utilisant les verbes donnés. Utilisez toujours le sujet « il ».

1 « Nous ne devons pas tomber dans le piège des terroristes. » (déclarer)

2 « Le gouvernement vient d'ajourner le projet INES qui risque de voir le jour. » (expliquer)

3 « Ce projet permettrait à la police de centraliser nombre d'informations vitales. » (préciser)

4 « Celui qui se présentera à la frontière avec un visa biométrique associé à un faux état civil passera aisément tout contrôle. » (faire remarquer)

5 « Il ne s'agit pas d'interdire la biométrie mais de la canaliser. » (souligner)

6 « Il faut interdire l'usage de la biométrie dans les entreprises. » (insister sur le fait)

7 « Entre 1999 et 2004, le ministère de l'Intérieur a recensé le vol de 84 464 titres vierges. » (rappeler)

8 « 2 835 fausses cartes nationales d'identité ont été interceptées en 2002 par la police aux frontières. » (ajouter)

9 « La biométrie ferait figure de réponse habile aux défis sécuritaires posés par le terrorisme. » (juger)

10 « Il faut renverser le « syndrome Big Brother. » (conclure)

O6.5 Le texte polémique 1 : présenter son point de vue

Le but des textes « polémiques » est de démontrer la supériorité d'un point de vue par rapport à d'autres. On peut employer différentes stratégies pour présenter son point de vue.

1 On caractérise l'objet de la polémique :

La biométrie utilisée dans une perspective policière **peut être** très dangereuse pour les libertés individuelles.

La biométrie est la seule technologie permettant l'identification de millions de personnes.

2 On en expose les risques et les possibilités :

Ce projet **implique** le fichage de toute la population française.

Des centaines de milliers de salariés **risquent** de voir les données les concernant conservées dans des fichiers.

La biométrie ... **ferait figure** de réponse habile aux défis sécuritaires posés par le terrorisme.

3 On affirme l'évidence de son argument :

Les faits sont là : notre système de passeports est une véritable passoire.

Triste constat qui fait aujourd'hui de l'Hexagone un élève moyen de la classe européenne.

4 On pose des questions afin d'y répondre :

Combattre le terrorisme ? La biométrie n'aura aucune influence directe.

5 On pose des questions rhétoriques :

Quel besoin a-t-on de mettre en place une investigation quasi biologique sur les individus ?

6 On dit ce qui doit se faire (ou ne doit pas se faire) :

Nous ne devons pas tomber dans le piège des terroristes.

Il faut renverser le « syndrome Big Brother ».

7 On utilise des mots et expressions à fortes connotations affectives, positives ou négatives :

...son aide est **précieuse**.

...ce **fléau**...

Les activités suivantes vont vous aider à analyser les techniques utilisées par les participants d'un débat polémique et à les utiliser pour exprimer votre propre opinion.

Activité 6.3.6

En vous référant à l'encadré précédent, identifiez la stratégie employée dans les extraits suivants des textes.

1 C'est là le propre non d'une société démocratique mais d'une société policière.

2 On mélange les missions assignées à la biométrie et de cette confusion peut naître un réel danger.

3 Ce projet permettrait à la police de centraliser nombre d'informations vitales.

4 Traquer les faux papiers ? Celui qui se présentera à la frontière avec un visa biométrique associé à un faux état civil passera aisément tout contrôle.

5 Empêchons nos ministres d'être des apprentis sorciers !

6 Il s'agit non pas d'interdire la biométrie, mais de la canaliser.

7 La biométrie est bien plus qu'un simple moyen de suivre chaque individu à la trace.

8 Ne serait-ce pas là un gain de liberté ?

Activité 6.3.7

Parmi les arguments pour ou contre la biométrie abordés dans cette session, lesquels vous semblent les plus convaincants ? Expliquez pourquoi et donnez votre opinion sur la question en environ 100 à 150 mots.

Le clonage

Vous allez maintenant envisager les questions d'éthique posées par l'utilisation de la génétique et du clonage. Il s'agit d'un sujet extrêmement controversé, qui se situe à la limite de l'éthique et de la science. La recherche embryonnaire peut-elle éthiquement se justifier ? Les avis sur ce sujet sont très partagés. Le texte que vous allez étudier va vous permettre de voir comment ces questions sont envisagées dans un dialogue entre deux personnes.

C6.4 Le Comité consultatif national d'éthique (CCNE)

Bien comprendre les avancées de la science et les questions éthiques qu'elles soulèvent n'est pas chose facile ; pourtant, la participation des citoyens aux décisions éthiques est essentielle. En France, le Comité consultatif national d'éthique (CCNE) pour les sciences de la vie et de la santé a pour mission « d'éclairer les progrès de la science, de soulever des enjeux de société nouveaux et de poser un regard éthique sur ces évolutions ».

Le CCNE a été créé le 23 février 1983 par le président de la République François Mitterrand. Le Comité produit des avis et des rapports sur les questions de société liées à l'évolution des connaissances et des techniques scientifiques (par exemple, l'évolution de la biométrie, les nanotechnologies etc.) et cherche ainsi à stimuler le débat public. Il est composé d'un président nommé par le président de la République et de 39 membres. Ceux-ci sont pluridisciplinaires : représentants de groupes religieux ou de courants philosophiques, experts en matière d'éthique ou chercheurs scientifiques.

(Adapté de Comité consultatif national d'éthique, « Présentation du Comité consultatif national d'éthique pour les sciences de la vie et de la santé », www.ccne-ethique.fr/leccne.php, dernier accès le 19 décembre 2008)

Activité 6.3.8

Lisez l'article ci-dessous et les phrases qui le suivent, et associez chaque idée à son locuteur (Georges Cirelli ou Madeleine Simon).

Débat sur le clonage thérapeutique

Georges Cirelli est professeur de médecine. Il dirige un groupe de recherche sur la maladie de Parkinson et voit dans ce qu'on appelle « le clonage thérapeutique » la possibilité de trouver des traitements efficaces à des maladies aujourd'hui incurables.

Assistante sociale et présidente d'une association catholique d'aide à la jeunesse, Madeleine Simon dénonce au contraire la recherche sur les cellules souches prélevées sur les embryons humains. Pour elle, la vie est sacrée et l'homme n'a pas le droit de manipuler la vie humaine même dans un but thérapeutique.

Invités à participer à un débat sur le clonage, Madame Simon et le professeur Cirelli exposent ici des positions irréconciliables ; leurs propos montrent à quel point le progrès scientifique soulève des questions éthiques préoccupantes.

Quelques dates clés

juillet 1994

La France adopte des lois de bioéthique interdisant toute recherche sur l'embryon.

juillet 1996

Suite à la recherche menée par le professeur Ian Wilmut en Écosse, le premier mammifère cloné, la brebis Dolly, est né.

février 2002

La Grande-Bretagne est le premier pays au monde à autoriser le clonage d'embryons humains à des fins de recherche médicale.

décembre 2002

Brigitte Boisselier, présidente de la société Clonaid qui est liée à la secte des Raëliens, annonce la naissance du premier bébé conçu par le clonage. Aucune preuve scientifique n'est fournie.

février 2004

Le professeur Hwang Woo-suk de l'Université nationale de Séoul annonce avoir cloné des embryons humains. Un an après, en décembre 2005, une commission d'enquête affirme que ses résultats avaient été falsifiés.

août 2004

Une nouvelle loi française de bioéthique interdit le clonage thérapeutique. Elle permet cependant de mener des travaux de recherche sur les embryons congelés « n'ayant plus de projet parental », issus de la procréation médicalement assistée.

mars 2005

L'Assemblée générale des Nations Unies adopte un texte qui encourage les gouvernements à interdire toutes les formes de clonage humain, jugées « incompatibles avec la dignité humaine ».

Georges Cirelli : Le clonage est un sujet qui suscite beaucoup d'émotions et des réactions exagérées et c'est, bien sûr, un sujet très médiatisé. À en croire certains journalistes, les scientifiques à l'image du docteur Frankenstein sont en train de créer des clones monstrueux dans leurs laboratoires ! C'est complètement ridicule ; la nouvelle en 2002 qu'une secte aux États-Unis aurait réussi à cloner un être humain n'avait rien de convaincant et les travaux du scientifique coréen Hwang Woo-suk, qui auraient mené en 2004 au clonage de trente embryons humains, se sont avérés truqués. Évitons donc de tomber dans les fantasmes de mauvaise science-fiction !

Soyons clair : quand on dit « clonage », la plupart des gens pensent au clonage reproductif. Il faut cependant distinguer le clonage reproductif du clonage thérapeutique. Le clonage reproductif consiste à reproduire, à partir d'un donneur, un être vivant dont le patrimoine génétique sera identique. C'est le cas très connu de la brebis Dolly. Maintenant il faut souligner que le clonage reproductif humain est presque universellement interdit. Moi-même, je le condamne sans réserves, c'est une monstruosité. D'ailleurs – et je reviendrai là-dessus – il n'a aucun intérêt scientifique et même le professeur Wilmut – le « père » de Dolly, si j'ose dire – y a renoncé.

Mais le clonage dit « thérapeutique », c'est bien autre chose. Comme son nom l'indique, c'est un procédé strictement médical qui consiste à cultiver des cellules souches pour que celles-ci soient capables de réparer, ou même de remplacer, un organe défaillant. La greffe d'organes est aujourd'hui un procédé bien établi qui nous permet de sauver des vies, mais on manque de greffons. En France, plus de 7 000 personnes sont en attente d'une greffe et chaque année des gens meurent parce qu'ils n'ont pas reçu d'organes. Le clonage thérapeutique pourrait à long terme pallier la pénurie actuelle de greffons. Je dis bien à long terme puisque la recherche est actuellement en cours pour mettre au point les techniques nécessaires.

Or les scientifiques qui travaillent dans le domaine du clonage thérapeutique sont aujourd'hui confrontés à deux défis. Le premier est de perfectionner les techniques qui permettent de créer des organes viables à partir de cellules souches, c'est-à-dire à partir de cellules indifférenciées. On doit « réorienter » ces cellules pour qu'elles se spécialisent dans différentes fonctions. Comme je le disais, on n'y est pas encore, mais les travaux de recherche les plus avancés, menés, par exemple, en Chine ou en Israël, montrent que ce sera bientôt envisageable.

Le deuxième défi, lui, est plus délicat car nous touchons à une question éthique : comment obtenir ces cellules souches ? Actuellement, on obtient des cellules souches à partir d'embryons. En France, un nombre très limité de laboratoires sont autorisés à utiliser ce qu'on appelle des « embryons surnuméraires sans projet parental ». Lorsqu'un couple a recours à la procréation médicalement assistée, on obtient toujours un nombre supplémentaire d'embryons. Plutôt que de les détruire, ces embryons, les équipes scientifiques, rigoureusement contrôlées selon la législation en vigueur, ont le droit de les utiliser à des fins strictement scientifiques et médicales. Le clonage thérapeutique, donc, à la différence du clonage reproductif, représente un grand espoir pour l'humanité...

Madeleine Simon : Je voudrais remercier le professeur Cirelli pour son exposé très savant sur la différence supposée entre le clonage reproductif et le clonage thérapeutique. Cependant, ses explications cachent une absence totale de considérations morales. C'est ahurissant ! J'entends souvent ce refrain : « le clonage thérapeutique peut sauver l'humanité en guérissant toutes les maladies incurables ». Mais c'est faire preuve d'une naïveté extraordinaire ! Guérir, peut-être – et encore ce n'est pas certain – mais à quel prix ? Je vous le dis très clairement : au prix d'une vie humaine. L'embryon, lui, a le droit de vivre. En proposant le clonage thérapeutique, on fait de l'embryon une chose, une chose peut-être utile, mais une chose tout de même et c'est franchement inhumain ! Le clonage, qu'il soit reproductif ou thérapeutique, est contre l'humanité.

G.C. : Alors là, madame, nous sommes en désaccord total sur le fond du problème. Vous parlez de l'embryon comme si c'était déjà un être vivant. Soyons raisonnables – au stade où l'on parle, il ne s'agit que de cellules indifférenciées.

M.S. : Au contraire, il s'agit d'une vie, une vie à respecter et à protéger. Je vous signale que la loi française garantit le respect de l'être humain dès le commencement de sa vie.

G.C. : C'est justement pour protéger l'être humain que je plaide en faveur du clonage thérapeutique ! Soyons clair : en France, la loi autorise la procréation médicalement assistée et la création d'embryons par fécondation in vitro. Plutôt que de détruire les embryons surnuméraires, pourquoi ne pas les utiliser pour sauver des gens ?

M.S. : Mais la fin ne justifie pas les moyens ! Le clonage reproductif est partout reconnu comme un crime – un crime contre l'humanité. Vous même, vous reconnaissez la monstruosité de l'idée que l'on puisse « cloner » un être humain. Cette idée, qui met en cause notre notion morale de l'individu et de son authenticité, nous répugne tous les deux. Et pourtant vous refusez de condamner la prétendue recherche médicale qui aboutira inévitablement à la reproduction artificielle de l'homme. Le clonage thérapeutique ne peut pas se distinguer du clonage reproductif car il n'est autre qu'un clonage reproductif interrompu.

G.L. : Alors là, vous avez tort. Le clonage reproductif n'a rien à voir avec le clonage thérapeutique.

S.L. : Ah bon ? Comment expliquez-vous la différence ? Dans les deux cas, on crée un embryon à partir d'un ovule en faisant reproduire des cellules. L'adjectif magique « thérapeutique » ne camoufle rien. Dans les deux cas, on produit un être humain qui servira de matière première à un autre être humain. Cela porte atteinte à la dignité humaine.

G.C. : La différence est simple : c'est la finalité de la recherche.

M.S. : Et vous croyez vraiment qu'en développant les techniques du clonage thérapeutique, personne ne sera tenté d'aller un peu plus loin pour accomplir le clonage reproductif humain ?

G.C. : Mais dites-moi, madame : à quoi ça sert de se cloner ? Aujourd'hui on reconnaît qu'une personne ne se réduit pas à ses gènes. L'idée que le clonage permettrait de prolonger la vie ou de remplacer la vie d'une personne aimée relève du pur fantasme. Le clonage ne permet pas de « reproduire » une personne car la personnalité est bien autre chose que le patrimoine génétique. C'est comme je disais tout à l'heure, le clonage reproductif humain n'a logiquement aucun intérêt. Alors pour éviter le risque du clonage reproductif, entreprise absurde, vous voulez interdire une recherche médicale extrêmement prometteuse. C'est une position franchement obscurantiste ! Vous ne condamneriez pas l'usage de l'électricité, et pourtant notre électricité est produite par le même procédé qui, dans une bombe nucléaire, est capable de tuer des milliers de personnes !

M.S. : La différence, c'est que la production de l'électricité ne repose pas sur la manipulation d'un être humain. La dignité de l'être humain doit toujours être respectée – c'est une des valeurs fondamentales de notre société. Accepter le clonage revient tout simplement à bafouer ces valeurs. C'est cela le risque que nous pose le clonage. Pour moi, et je crois pour la majorité de la population française, c'est un risque qu'il faut éviter à tout prix.

G.C. : Je défendrai comme vous le respect de la dignité humaine, mais je crois que votre position sur les cellules souches embryonnaires est sans fondement. Il est vrai que ces cellules représentent la matière première de l'être vivant, mais elles ne constituent pas en elles « une vie ». En d'autres termes, l'embryon n'est pas un fœtus.

Je conviens que le débat sur la viabilité de l'embryon est extrêmement complexe, mais il ne faut pas fuir cette difficulté en faisant l'autruche, car les enjeux – les retombées bénéfiques pour toute l'humanité – sont importants. La loi française a su trancher dans le cas de l'interruption volontaire de grossesse, légale jusqu'à douze semaines de grossesse, et je crois que la majorité des Français acceptent aujourd'hui cette position. Bien sûr, il faut que la recherche et tout traitement médical à partir de cellules souches embryonnaires soient rigoureusement contrôlés et surveillés par l'État et fassent l'objet de débats publics. C'est ainsi qu'on respecte la dignité humaine...

M.S. : Je ne suis pas du tout d'accord avec vous...

G.C. : De toute façon, la recherche sur les cellules embryonnaires ne constitue qu'une étape limitée dans le temps. D'ici à quelques années, on espère avoir perfectionné les techniques qui permettront l'utilisation de cellules souches adultes ; autrement dit, le clonage thérapeutique consistera à prélever des cellules souches sur le patient lui-même et à « fabriquer », à partir de ces cellules, les tissus ou l'organe dont il a besoin. Le gros avantage sera que les organes ainsi constitués auront une compatibilité immunologique parfaite. Mais pour en arriver là, il faut laisser les scientifiques poursuivre leurs travaux sur les embryons afin de bien comprendre le processus de spécialisation des cellules.

M.S. : Vous négligez encore une fois ce principe fondamental : on n'a pas le droit de prendre une vie innocente même pour en sauver d'autres...

G.C. : Rappelons aussi le principe de la non-assistance à personne en danger... Va-t-on refuser aux médecins la possibilité de soigner efficacement des maladies aujourd'hui incurables ? Cette recherche avance dans d'autres pays qui reconnaissent son importance, tout en faisant très attention aux aspects éthiques.

M.S. : « Il ne faut pas freiner la recherche nationale, nos voisins avancent plus vite que nous » : j'ai entendu cet argument je ne sais combien de fois !

G.C. : Mais c'est un argument de poids lorsqu'il s'agit de pouvoir mettre à la disposition de nos patients des traitements qui sauvent la vie. La France est bien capable de mettre en place les sauvegardes éthiques nécessaires pour défendre la dignité humaine.

Vocabulaire

Raëliens membres d'un mouvement spirituel considéré comme une secte par la Commission parlementaire sur les sectes en France

n'ayant plus de projet parental embryons qui ne vont pas servir à la procréation médicalement assistée

Notes culturelles

interruption volontaire de grossesse (IVG) en 1975, la loi Veil (qui porte le nom de Simone Veil, alors ministre de la Santé) dépénalisa l'avortement en France. En 2009 l'IVG est autorisée jusqu'à la douzième semaine de grossesse

non-assistance à personne en danger selon la loi française, un individu est obligé de porter secours à une personne en danger. Le délit de « non-assistance à personne en danger », inscrit au Code pénal français, est passible d'une peine de cinq ans de prison ou de 75 000 euros d'amende

1   Il y a deux problèmes associés au clonage thérapeutique : un problème technique (comment orienter les cellules souches vers la spécialisation) et un problème éthique (où trouver les cellules souches).

2   Il faut interdire le clonage reproductif

3   Accepter le clonage thérapeutique, c'est justifier le clonage reproductif. Le clonage (reproductif et thérapeutique) n'est pas acceptable car il implique la manipulation de la vie humaine par l'homme.

4   Les deux types de clonage sont totalement différents sur le plan éthique.

5   Il n'est pas sûr que le clonage thérapeutique apportera les traitements médicaux espérés.

6   Le clonage (reproductif et thérapeutique), en traitant la vie humaine comme un instrument, porte atteinte à la dignité humaine.

7   Créer un clone n'a aucun intérêt en soi.

8   L'utilisation de cellules souches embryonnaires est importante pour bien comprendre comment les cellules se spécialisent. Dès que le problème de la spécialisation sera surmonté, le clonage thérapeutique se passera d'embryons.

9   Le fait que la recherche soit plus avancée ailleurs ne constitue pas un argument valable.

10 Les scientifiques n'ont pas le droit de tuer un être humain même dans un but médical.

O6.6   Le texte polémique 2 : répliquer à l'adversaire

Le texte polémique est l'expression d'un débat souvent vif et agressif et s'attaque aux propos de l'adversaire de différentes façons :

1   On rejette explicitement le point de vue de l'adversaire :

   Le clonage reproductif **n'a rien à voir avec** le clonage thérapeutique. **Je m'inscris en faux** (contre cette idée).

   D'autres expressions utiles :

   • Je ne suis pas d'accord avec vous

   • Vous avez tort, vous exagérez

   • C'est faux/complètement injuste/ inacceptable

2   On fait des concessions, souvent pour renforcer sa propre position :

   Et même en admettant que l'embryon soit un homme déjà réalisé, au nom de quoi faudrait-il détruire ces embryons supernuméraires ?

   D'autres expressions utiles :

   • Il est vrai que... mais

   • Même s'il est certain que..., il n'en reste pas moins vrai que...

   • Quel que soit le problème, il faut trouver une solution...

3   On interroge l'adversaire :

   Expliquez-nous en quoi le procédé diffère entre un chercheur dont le but est reproductif et un autre dont l'objectif est thérapeutique.

   D'autres expressions utiles :

   • Comment expliquez-vous que... ?

   • Croyez-vous que... ?

4   On dément ses arguments :

Mais là, **certaines voix s'élèvent :** vous n'avez pas le droit de toucher à un embryon ! C'est interdit ! C'est un être humain ! **Rappelons qu'il s'agit, à ce stade, de quelques cellules indifférenciées.**

D'autres expressions utiles :

- On dit que... mais...

- On veut nous faire croire que... cependant, ...

- Quant à l'argument selon lequel..., il faut...

5   On le ridiculise :

Obtenir la vie éternelle par le clonage **est un pur fantasme** !

D'autres expressions utiles :

- C'est absurde/ridicule/insensé !

Activité 6.3.9

A

En vous référant à l'encadré précédent, identifiez la stratégie employée dans ces extraits des textes sur la biométrie et sur le clonage.

1   Quelle que soit l'émotion que suscitent les attentats, nous ne devons pas tomber dans le piège des terroristes et faire usage d'une législation aussi scélérate que les actes que l'on cherche à combattre.

2   Il est naturel d'éprouver une certaine appréhension envers la biométrie. Seulement il ne faut se tromper ni de débat ni d'enjeux.

3   Nous sommes en désaccord sur le fond du problème.

4   L'idée que le clonage permettrait de prolonger la vie ou de remplacer la vie d'une personne aimée relève du pur fantasme.

5   Il est vrai que ces cellules représentent la matière première de l'être vivant, mais elles ne constituent pas en elles « une vie ».

6   « Il ne faut pas freiner la recherche nationale, nos voisins avancent plus vite que nous » : j'ai entendu cet argument je ne sais combien de fois !

7   Je ne suis pas du tout d'accord avec vous...

B

Formulez des réponses critiques à l'affirmation suivante selon les cinq stratégies indiquées ci-dessous.

La biométrie nous permettra d'appréhender les terroristes aux frontières.

1   Vous ridiculisez

2   Vous rejetez explicitement cette affirmation

3   Vous faites une concession avant de renforcer le point de vue opposé

4   Vous posez une question

5   Vous démentez cette affirmation

Activité 6.3.10

Écrivez un texte d'environ 500 mots sur le clonage, où vous exprimerez votre désaccord soit avec Georges Cirelli soit avec Madeleine Simon. Ou si vous le préférez, vous pouvez parler de la biométrie plutôt que du clonage. Suivez le plan suivant :

- Introduction

Présentez le sujet de la polémique et dites quel point de vue vous soutenez.

- Développement

Présentez les arguments de la personne avec laquelle vous êtes en désaccord. Citez-la en utilisant le discours indirect.

Répliquez à ces arguments et donnez votre propre point de vue. Utilisez des stratégies présentées dans les encadrés O6.5 et O6.6.

- Conclusion

Session 4 Mondes virtuels et intelligence artificielle

Cette dernière session aborde la question des nouveaux mondes créés par les avancées de la science, qui semblent parfois relever plus de la science-fiction que de la réalité. Relations sociales virtuelles, machines qui manient le langage, pratiques scientifiques qui transforment l'être humain ; la science dépasse-t-elle la réalité ?

Points clés

- G6.4 Le subjonctif passé
- C6.5 La Commission générale de terminologie
- O6.7 La traduction
- S6.2 Conseils pour écrire une dissertation
- S6.3 Faire un plan de dissertation et enchaîner ses arguments

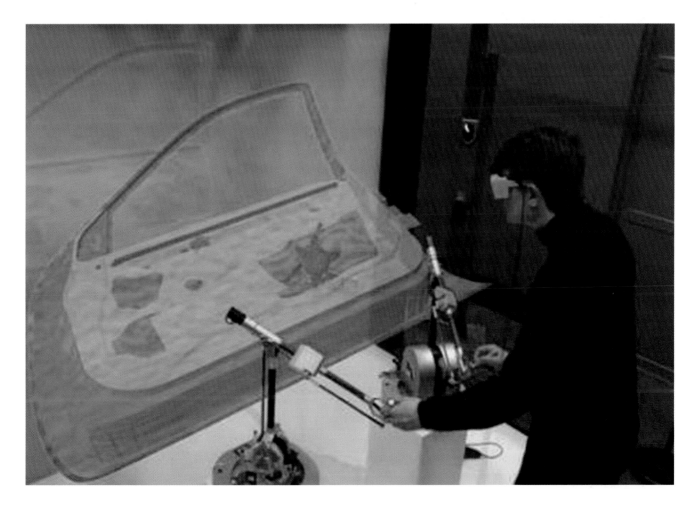

La Net-génération

Les premières activités vont vous donner l'occasion de réfléchir aux modes de communication sur Internet, et à leurs conséquences possibles pour ceux qui les utilisent.

Activité 6.4.1 _____

Associez ces mots, dérivés de l'anglais, qui sont fréquemment utilisés pour parler des ordinateurs et de l'Internet, aux mots qui sont officiellement recommandés pour les remplacer.

1	un CD-ROM	(a)	l'accès sans fil à Internet
2	une webcam	(b)	la baladodiffusion
3	le podcasting	(c)	la Toile
4	digital	(d)	le clavardage
5	le wifi	(e)	le courriel
6	l'email	(f)	numérique
7	un blog	(g)	un bloc-notes
8	le chat	(h)	un cédérom
9	le Web	(i)	une cybercaméra
10	un attachement	(j)	une pièce jointe

C6.5   La Commission générale de terminologie

Lorsque des objets ou des concepts nouveaux apparaissent, ce qui est fréquent dans le contexte des sciences et de la technologie, la langue doit aussi inventer de nouveaux mots pour les désigner. Parce qu'actuellement la plupart des développements technologiques viennent du monde anglophone, ce sont des mots d'origine anglaise qui sont souvent utilisés en premier en France. Mais les instances officielles françaises veulent éviter le recours à des mots étrangers. Il existe donc en France une Commission générale de terminologie et de néologie qui crée de nouveaux mots pour enrichir la langue française. Les mots de l'activité précédente en sont des exemples. L'usage de ces mots est obligatoire dans les administrations, et encouragé dans le reste de la population. Certains mots sont réellement adoptés par la majorité des Français, par exemple, « un baladeur » qui a remplacé « un walkman », ou en sport « le dopage » plutôt que « le doping », mais d'autres peinent à s'imposer, comme « une manche décisive » en tennis, remplacé par « un tie-break », ou « un bloc-notes » et « le clavardage », qui sont peu utilisés et auxquels on substitue généralement « un blog » et « le chat ».

Il existe des institutions similaires dans d'autres pays francophones, par exemple, l'Office québécois de la langue française ou le Service de la langue française du ministère de la Communauté française de Belgique.

Activité 6.4.2 _____

A

Lisez l'article intitulé « Les enfants de la Net-génération » et dites laquelle des quatre phrases à la page 62 en résume le contenu.

Les enfants de la Net-génération

§1   Mail, chat, blog, jeux en ligne : partout dans le monde, pour les 13–24 ans qui ont accès à l'ordinateur, les liens sociaux passent par le Web. Aux États-Unis, plus de la moitié des 12–17 ans sont utilisateurs d'un site communautaire (type MySpace). En France, la messagerie instantanée (type MSN) attire 35% des internautes – des adolescents pour la plupart. Et l'immense majorité des blogs personnels (50 millions créés dans le monde depuis 2004) est tenue par des collégiens et des lycéens, pour qui l'usage de ces « TIC » (technologies de l'information et de la communication) est devenu aussi naturel que celui du téléphone ou de la télévision.

§2 Quels comportements auront à l'âge adulte ces enfants de la Net-génération ? Seront-ils plus sociaux que les générations précédentes ? Plus solitaires ? Affectivement plus fragiles, intellectuellement plus polyvalents ? Certitude : d'ores et déjà, leur réseau de sociabilité s'étend bien au-delà du réseau des contacts physiques. « Être fille ou fils de... compte moins aujourd'hui qu'être en lien avec... », constate Sylvie Octobre, sociologue au département des études, de la prospective et des statistiques du ministère de la culture. « Ce que les jeunes sont en train d'apprendre, c'est à être capable d'entretenir la bonne relation avec la bonne personne en n'importe quel point de la planète. » Un « capital social » qui, selon elle, constituera un véritable avantage dans nos sociétés futures.

§3 « Avec les communautés virtuelles , poursuit-elle, chacun prend conscience qu'il est un individu parmi des millions d'autres, mais aussi qu'il peut être contacté depuis le monde entier. Cela confère aux adolescents une légitimité nouvelle, qu'ils ne trouvent ni en famille ni dans le milieu scolaire. » Au sein de la sphère privée et familiale, ces nouvelles compétences ne vont pas sans bouleverser les principes traditionnels. À la transmission descendante, des parents aux enfants, s'est ainsi ajoutée une transmission ascendante, des enfants aux parents... Et, surtout, une transmission horizontale entre pairs.

§4 Pour ces jeunes rompus à la Toile dès l'entrée au collège, parfois même avant, les critères d'appartenance ne sont plus tant sociodémographiques (avoir tel âge, être de telle région ou dans telle classe) que relationnels. Passionnés du chanteur Sean Paul, du jeu de go ou de fusées à eau, il leur est désormais possible de se retrouver entre initiés autour d'un thème fédérateur, même si celui-ci ne réunit dans le monde que quelques centaines d'aficionados... « Se sentir unique tout en sachant qu'on n'est pas tout seul, n'est-ce pas le rêve de tout le monde, et plus encore des adolescents ? », remarque Mme Octobre, pour qui cette nouvelle conception du réseau, rodée dès le plus jeune âge, « modifiera durablement les habitudes relationnelles ». Témoin le succès de Facebook (25 millions d'inscrits à ce jour), ce site de socialisation sur lequel lycéens et étudiants sont invités à décrire leur profil, et qui parie sur la simple envie d'échanger et de partager.

§5 Tout de même : à trop fréquenter ces communautés virtuelles, nos enfants ne risqueraient-ils rien d'autre que de mauvaises rencontres ? Les dédoublements d'identité (pseudos, avatars) dont ils usent avec bonheur ne peuvent-ils être nocifs pour le développement de leur personnalité ? « Bien au contraire, l'alter ego numérique peut parfois redonner un peu de souffle à notre être réel », estime le psychologue Michael Stora, pour qui cette double personnalité, virtuelle et réelle, « est à l'image d'un fonctionnement propre au narcissisme qui s'appelle le clivage ». Président de l'Organisation des mondes numériques et sciences humaines (OMNSH), il estime que le vrai danger n'est pas là. Pas plus que dans un avenir « peuplé de nomades ultra-connectés, sortes d'obèses aux doigts hypertrophiés, pur produit de notre imagination ». En revanche, il craint que l'usage immodéré de l'ordinateur n'entraîne, pour les plus fragiles (des garçons, pour l'essentiel), « la disparition des rencontres en IRL » (« in real life » : dans la vie réelle).

§6 « La cyberdépendance, quand elle est avérée, vient toujours mettre au jour un problème, remarque-t-il toutefois. Comme pour l'alcool et le tabac, l'objet technologique révèle chez certains individus une structure addictive, mais il ne la fabrique pas. » Toxiques pour certains, les TIC auraient pour d'autres des fonctions curatives. « Beaucoup de gens se soignent par le biais des chats ou des forums, et utilisent ces outils comme des expériences auto-thérapeutiques », poursuit M. Stora, que la clinique a conduit à rencontrer nombre de personnes « ayant osé, grâce à cette pratique solitaire, affronter et dire certaines choses ». Le Web deviendra-t-il, parmi d'autres, un remède contre les maux de l'âme ? L'avenir dira si ces lieux virtuels constituent « un nouvel opium du peuple, grâce auquel chacun pourra exprimer sa violence intérieure tout en étant, dans la vie réelle, plus soumis qu'aujourd'hui ». Ou s'ils seront, au contraire, des endroits « où l'on apprendra l'insoumission »...

§7 Moins pudiques, plus agiles et plus inventifs, les enfants de la Toile, à en croire certains, présenteraient toutefois une tare majeure : à force d'être sollicités par mille choses à la fois, leur capacité de concentration se réduirait comme peau de chagrin. Mais comment en être sûr ? Et qu'est-ce qui sera le plus utile dans la société de demain : être capable de se fixer longtemps sur une même activité, ou gérer plusieurs tâches en même temps ?

§8 « À en juger par l'évolution récente du marché du travail, de nombreux métiers demanderont de plus en plus de savoir être polyactif », estime Mme Octobre. Pour cette sociologue, le vrai enjeu, en termes de maîtrise de la connaissance, ne concernera pas la capacité de concentration, mais la hiérarchie de l'information. « Pour réussir, il faudra de plus en plus avoir appris à trier, sélectionner et classer par ordre de pertinence la masse d'informations disponibles sur le Net. Là résideront la vraie difficulté, et la vraie source d'inégalités ». Un terrain sur lequel, dès aujourd'hui, l'éducation a un rôle majeur à jouer.

(Catherine Vincent, « Les enfants de la Net-génération », *Le Monde*, 6 octobre 2007)

Vocabulaire

d'ores et déjà   déjà

rompus à   habitués à

rodée   essayée

Notes culturelles

le collège   établissement scolaire secondaire français, fréquenté de l'âge de 11 ans à l'âge de 14 ans, après l'école primaire et avant le lycée

l'opium du peuple   référence à une citation de Karl Marx (1818–1883), homme politique, philosophe et économiste, traduite en français par : « La religion est l'opium du peuple »

comme peau de chagrin   *La Peau de chagrin* est un roman fantastique de Balzac (1799–1850) dans lequel un morceau de cuir magique rétrécit chaque fois qu'il exauce un vœu. La vie de son possesseur se raccourcit au fur et à mesure que la peau devient plus petite.

(a)   Un exposé technologique sur le fonctionnement des sites Internet communautaires utilisés par les jeunes.

(b)   Un compte-rendu sur les problèmes éthiques posés par l'utilisation des sites Internet communautaires utilisés par les jeunes.

(c)   Une analyse sociologique du comportement des jeunes qui utilisent les sites Internet communautaires et de ses conséquences.

(d)   Une étude linguistique du vocabulaire utilisé par les jeunes sur les sites Internet communautaires.

B

Notez le numéro du paragraphe du texte qui correspond à chaque phrase de résumé ci-dessous.

(a)   L'utilisation de l'Internet par les jeunes est socialement bénéfique.

(b)   La majorité des utilisateurs de sites Internet communautaires est jeune.

(c)   Les communautés virtuelles apportent une reconnaissance nouvelle aux adolescents.

(d)   Les utilisateurs d'Internet auront des compétences qui leur donneront un avantage sur les autres, ce qui risque de créer des disparités sociales.

(e)   Parfois l'effet de ces sites peut être thérapeutique.

(f)   Pour la majorité, l'utilisation des sites Internet communautaires n'est pas dangereuse ; elle l'est peut-être pour les plus vulnérables.

(g) Pour la Net-génération, les relations nouées en ligne sont plus importantes que les liens générationnels, géographiques ou sociaux.

(h) Selon certains, la Net-génération se caractérise par une capacité de concentration réduite. D'autres voient un avantage en son aptitude à faire plusieurs choses en même temps.

C

Répondez aux questions suivantes en quelques mots.

1   Qu'est-ce que la « Net-génération » ?

2   Quelles sont les « nouvelles compétences » évoquées dans le troisième paragraphe ?

3   Pourquoi cela bouscule-t-il les traditions familiales ?

4   Quelles sont les conséquences négatives possibles de la fréquentation des communautés virtuelles évoquées dans le cinquième paragraphe ?

5   Pourquoi les nouvelles compétences de la Net-génération seront-elles peut-être finalement un atout professionnel, d'après les deux derniers paragraphes de l'article ?

Activité 6.4.3

A

À la suite de la parution d'un article sur les sites Internet communautaires dans un magazine hebdomadaire, des lecteurs ont réagi et les lettres suivantes ont été publiées dans le courrier des lecteurs de la semaine d'après. Lisez les extraits de ces lettres et remplissez le tableau de la page 64 en classant les arguments présentés pour ou contre les sites Internet communautaires.

1

> Il est normal que les sites communautaires se soient développés, parce qu'ils permettent à beaucoup, par exemple, aux gens timides comme moi, de faire des rencontres et d'avoir des discussions en ligne qu'ils n'oseraient pas avoir en direct. Pour moi, c'est un progrès social. Et cela m'aide à soigner ma timidité, c'est donc aussi un progrès personnel.
>
> Guillaume

2

> Les sites de socialisation virtuelle donnent aux gens la sensation fausse qu'ils sont intéressants et qu'ils ont beaucoup d'amis, alors qu'ils sont incapables de communiquer sans ordinateur. C'est regrettable.
>
> Corine

3

> Il n'est pas étonnant que l'apparition de ces sites ait été une telle révolution ; ils enrichissent la vie de tous et permettent à chacun d'échanger des informations, de communiquer et de s'instruire. C'est un instrument de démocratie puisque tout citoyen a maintenant le moyen de se renseigner et d'avoir des débats sans passer par les institutions officielles.
>
> Anne

4

Je suis ravi que la personne interrogée par votre journaliste ait exprimé une opinion que je partage. En effet, moi non plus, je ne comprends pas pourquoi les gens ont si peur des sites communautaires, et je pense que le débat n'a pas lieu d'être. Les relations que les utilisateurs de ces sites tissent ne sont pas virtuelles, puisqu'elles existent. Au téléphone on n'a pas non plus de contact physique avec son interlocuteur. Ces sites sont des moyens de communication comme les autres, tout simplement !

Olivier

5

Je ne suis pas d'accord avec le point de vue de votre article. Toutes les personnes de mon entourage (mon entourage réel !) qui fréquentent des sites de socialisation ont des problèmes pour communiquer autrement et finissent pas ignorer les personnes qu'ils côtoient en chair et en os. Pour moi, ces sites ont un effet négatif sur les relations humaines.

Martin

Pour	Contre
Ils permettent de faire des rencontres et d'avoir des discussions en ligne. …	Ils donnent la sensation fausse qu'on est intéressant et qu'on a beaucoup d'amis. …

B

Maintenant vous allez travailler sur le subjonctif. Suivez les instructions et répondez aux questions ci-dessous.

1   Identifiez les verbes du courrier des lecteurs ci-dessus qui sont conjugués au subjonctif.

2   Notez les expressions qui précèdent ces verbes et qui déclenchent l'usage du subjonctif.

3   À quel temps du subjonctif ces verbes sont-ils : présent ou passé ?

G6.4   Le subjonctif passé

Vous savez que certains verbes et certaines expressions sont suivis du subjonctif, par exemple :

Il semble que les jeunes **sachent** nouer des relations virtuelles plus aisément que leurs parents.

Cependant, si l'on utilise l'un de ces verbes ou l'une de ces expressions pour décrire une action passée, il faut utiliser le subjonctif passé, par exemple :

Il semble que les jeunes de mon époque **aient su** nouer des relations humaines réelles plus aisément que nos enfants.

Pour former le subjonctif passé, on utilise « être » ou « avoir » au subjonctif présent suivi du participe passé du verbe.

Ce tableau peut vous aider à comprendre l'emploi du subjonctif passé :

Temps/mode	Verbe/ expression déclenchant le subjonctif	Sujet	Verbe	Fin de la phrase
Passé composé		Il	**a** passé	des heures sur Internet.
Subjonctif passé	Il semble qu'	il	**ait** passé	des heures sur Internet.
Passé composé		Les rencontres virtuelles	se **sont** développées	récemment.
Subjonctif passé	J'ai bien peur que	les rencontres virtuelles	se **soient** développées	récemment.
Passé composé		Tu	**as** autorisé	tes enfants à communiquer en ligne.
Subjonctif passé	Je suis surpris que	tu	**aies** autorisé	tes enfants à communiquer en ligne.

Activité 6.4.4

Dans les phrases suivantes, conjuguez les verbes proposés au subjonctif passé.

1   Je ne doute pas que la papeterie (représenter) _____ une activité économique importante autrefois dans la région, mais j'ai bien peur que ce ne soit plus le cas maintenant.

2   Il n'est pas étonnant que les Jeux olympiques (avoir) _____ un si grand impact sur la ville de Grenoble.

3   Il est regrettable que la construction navale, qui était l'une des industries majeures de la région, (disparaître) _____.

4   Je suis désolé(e) que tu (ne pas pouvoir) _____ faire partie de notre équipe de recherche.

5   Je ne crois pas qu'il (arriver) _____ à démontrer ce qu'il voulait.

6   Son patron est furieux qu'elle (faire) _____ des expérimentations avec d'autres chercheurs sans le consulter.

7   Les parents d'Isabelle sont très heureux qu'elle (aller) _____ à l'université, car eux n'ont pas eu les moyens de le faire.

Activité 6.4.5

Dans le texte « Les enfants de la Net-génération », on lit que « l'alter ego numérique peut parfois redonner un peu de souffle à notre être réel ». Vous utilisez vous-même des outils en ligne dans votre apprentissage du français. Est-ce que vous vous sentez comme une autre personne lorsque vous communiquez en ligne avec d'autres étudiants ? Vos relations sont-elles les mêmes qu'avec des personnes que vous rencontrez en chair et en os ? Ces rencontres virtuelles sont-elles utiles ? Enrichissantes ? Difficiles ?

Décrivez votre expérience de la communication « virtuelle ». Si vous n'utilisez jamais ce genre d'outils, expliquez pourquoi. Répondez sous formes de notes, en environ 100 mots.

Technologies du langage

Grâce au développement de l'Internet, on a maintenant accès à des informations provenant de milliers de pays, rédigées dans autant de langues étrangères. Pour les rendre accessibles au plus grand nombre, de nombreux sites proposent des services de traduction automatique développés grâce à des techniques relevant de l'intelligence artificielle. Mais ces techniques sont-elles vraiment au point et ces outils sont-ils vraiment utiles ?

Activité 6.4.6

A

Lisez ce blog puis dites si les propositions ci-dessous sont vraies ou fausses. Ensuite corrigez les propositions fausses, en citant les passages du blog qui conviennent.

Traduction : Systran ou Reverso ?

Il est de bon ton chez les linguistes de se moquer des traducteurs automatiques. Il est vrai qu'ils nous offrent parfois un florilège de phrases mal construites et de contresens qui frisent le surréalisme. Pourtant les premières recherches en traduction automatique remontent au tout début des années cinquante : plus d'un demi-siècle d'efforts n'ont pas réussi à casser le code. Incroyable difficulté du langage ! Dans le même temps on aura réussi à décrypter le génome humain (la découverte de la structure en double hélice de l'ADN en 1953 est contemporaine des débuts de la traduction automatique)...

Pour autant, les choses progressent – trop lentement, bien sûr, à mon goût, mais il ne faut pas être injuste. Si la traduction automatique ne peut absolument pas rivaliser avec un traducteur humain (même mauvais !), cela ne veut pas dire qu'elle soit totalement dénuée d'intérêt. [...]
La traduction automatique a passé le cap qui lui permet d'être un véritable outil de déchiffrage, utile pour prendre connaissance rapidement du thème et du contenu global de pages en langues étrangères, dans des situations où il serait inconcevable de payer un traducteur. C'est le cas par exemple des spécialistes de veille économique, mais aussi de l'internaute lambda : alors que la grande majorité des documents du web sont écrits en anglais, moins de 30% des internautes sont anglophones [...], et cette proportion ne cesse de décroître.

Posté par **Jean Véronis** le 08/01/06 à 17:26

(Jean Véronis, « Traduction : Systran ou Reverso ? », 8 janvier 2006, http://aixtal.blogspot.com/2006/01/traduction-systran-ou-reverso.html, dernier accès le 1 décembre 2008)

Vocabulaire

veille économique   collecte des informations à l'usage des entreprises

lambda   moyen

	Vrai	Faux
1 Les recherches en traduction automatique ont commencé au début de la deuxième moitié du XXe siècle.	☐	☐
2 Après plus de cinquante ans de recherche, la traduction automatique fonctionne maintenant bien.	☐	☐
3 Les recherches sur le génome humain ont avancé plus vite.	☐	☐
4 Les recherches dans ces deux domaines ont débuté à la même époque.	☐	☐
5 La traduction automatique donne d'aussi bons résultats qu'un traducteur humain.	☐	☐
6 La traduction automatique est un outil utile.	☐	☐
7 Environ 30% des sites Internet sont écrits en anglais.	☐	☐
8 Proportionnellement, de plus en plus d'internautes maîtrisent l'anglais.	☐	☐

B

Cherchez dans le texte les synonymes ou équivalents des mots suivants.

1   être bien vu

2   une collection

3   être presque impossible à croire

4   dater de

5   sans

6   atteindre un stade

7   quelconque

8   diminuer

Dans l'activité suivante, vous allez vérifier si vous pouvez mieux faire que la traduction automatique.

Activité 6.4.7 _____

A

Lisez l'extrait du manuel d'utilisation d'un appareil électronique ci-dessous, puis lisez la traduction automatique qui en a été faite. Associez les types d'erreur de traduction suivants aux exemples donnés.

> Take the device out of its packaging and place it on a clean surface. Thread the three screws that are supplied through the holes at the bottom of the device. Now place a spacer over each screw, but keep them loose. Feed the dark cable through the large hole at the side of the device, and plug it into the red connector. Tighten all the screws. Your device is ready to be used.

Traduction automatique

```
Prenez l'appareil de son emballage
et placez-le sur une surface
propre. Thread les trois vis qui
sont fournis par les trous au fond
de l'appareil. Maintenant place
d'un espace au-dessus de chaque
vis, mais conservez-les en vrac.
Feed le câble à travers la tombée
de la nuit le grand trou sur le
côté de l'appareil, et branchez-le
dans le connecteur rouge. Serrez
toutes les vis. Votre appareil est
prêt à être utilisé.
```

(Traduction automatique, produite par www.google.co.uk/language_tools?hl=en, dernier accès le 3 novembre 2008)

1	Un mot non traduit	(a)	la tombée de la nuit
2	Une erreur d'accord nom/adjectif	(b)	les trois vis [...] fournis
3	Un verbe traduit par un nom	(c)	thread
4	Un mot dont le sens est faux dans ce contexte	(d)	place

B

Maintenant essayez d'améliorer la traduction.

O6.7 La traduction

Le but de la traduction n'est pas de transposer un texte d'une langue à une autre mot à mot, mais d'en transmettre fidèlement le sens afin de faire passer le même message. L'idéal est de produire un texte authentique que les locuteurs de la langue d'arrivée (c'est-à-dire du texte traduit) n'identifieraient pas comme une traduction. Voici quelques principes à respecter :

1 Il ne faut pas traduire le vocabulaire mot à mot, mais trouver des expressions de sens équivalent. Par exemple, l'expression française « en chair et en os » ne se traduit pas en anglais par *in flesh and in bone*, mais par *in the flesh*.

2 De même, il faut toujours respecter la grammaire de la langue d'arrivée. Par exemple, pour traduire *Queen Anne* en français, on doit ajouter un article défini :
« la reine Anne ».

3 On doit aussi respecter le style et le registre du texte que l'on traduit : la traduction d'un texte poétique doit être poétique, celle d'un texte en langage familier doit rester en langage familier.

4 Il est parfois nécessaire de transposer certains faits ou termes culturels pour qu'ils soient compris par les lecteurs du texte traduit. Par exemple, il est souvent préférable de remplacer les mesures utilisées dans un texte anglais (*yard, miles, pounds*, etc.) par des unités du système métrique en français (« mètres, kilomètres, kilos », etc.).

Le texte de l'activité suivante va vous permettre de mieux comprendre les difficultés linguistiques qui font obstacle au progrès de la traduction automatique.

Activité 6.4.8

A

Lisez le blog suivant et cochez les bonnes réponses aux questions de la page 70.

Sémantique : Mon déjeuner m'appelle

Je préparais une émission au téléphone avec Cathy Nivez d'Europe 1, quand elle reçoit un deuxième appel. Rien que de très banal, mais au moment de basculer vers l'autre interlocuteur, elle me sort cette phrase extraordinaire : « Mon déjeuner m'appelle... » […]

Je lui ai expliqué qu'elle m'avait fourni un superbe exemple, qui va désormais remplacer dans mes cours celui que j'utilisais jusqu'à présent : « L'omelette au jambon est partie sans payer. »

Ces phrases illustrent ce qu'on appelle en linguistique **métonymie**, c'est-à-dire une figure de style, un trope disent les savants (ou les pédants) dans lequel un mot est pris dans un autre sens, lié au premier par une relation logique. Par exemple, la partie pour le tout (« quinze voiles prennent le départ »), le contenant pour le contenu (« boire un verre »), l'instrument pour l'agent (« une fine lame », « une sacrée fourchette »), la matière pour l'objet (« une petite laine »), la capitale pour le pays (« Washington a averti l'Iran »), le lieu de production pour le produit (« un bordeaux »), etc. La liste est étonnamment longue, et les métonymies peuvent parfois s'enchaîner en cascade (et se propager d'une langue à l'autre). […]

Comme Monsieur Jourdain, nous faisons tous de la métonymie en permanence et sans même le savoir. Or, c'est un des mécanismes les plus compliqués à traiter pour des systèmes d'analyse de textes (traduction automatique, dialogue homme-machine, etc.). Par exemple, pour comprendre que la phrase ne parle pas de l'omelette au jambon, mais du client qui a commandé une omelette au jambon, il faut disposer d'une base de données qui nous dise que partir et payer demandent un sujet plutôt humain. […] Pour qu'une machine puisse un jour interpréter ça, il faut faire appel à des connaissances du monde, des « scénarios-types » (dont le « script » du restaurant : normalement on entre, on commande, on mange, on paie, on part). Problèmes classiques de l'« IA », l'intelligence artificielle, mais bien sûr jamais résolus (et on n'est pas près de les résoudre !).

Comment faisons-nous ? Mystère. Personne n'en a la moindre idée, et c'est ce qui me fascine dans le langage humain. C'est un des plus grands « challenges » scientifiques de notre temps : on a décrypté le génome humain. Pas son langage. […]

Posté par **Jean Véronis** le 17/11/06 à 10:51

(Jean Véronis, « Sémantique : Mon déjeuner m'appelle », 17 novembre 2006, http://aixtal.blogspot.com/2006/11/smantique-mon-djeuner-mappelle.html, dernier accès le 1 décembre 2008)

Notes culturelles

Europe 1 station de radio française privée

Monsieur Jourdain personnage de la pièce *Le Bourgeois gentilhomme* de Molière, que vous avez rencontré dans l'unité 3 et qui fait de la prose sans le savoir

1   Ce texte donne la définition :

     (a) de la métonymie ☐

     (b) de l'intelligence artificielle ☐

     (c) du génome humain ☐

2   Ce texte cherche à démontrer :

     (a) que les savants utilisent du
          vocabulaire compliqué ☐

     (b) que les ordinateurs ne peuvent pas
          fonctionner en langue française ☐

     (c) que certaines phrases sont
          impossibles à traduire par un
          ordinateur ☐

3   Pour quelle raison un ordinateur ne peut-
     il pas traduire « l'omelette au jambon est
     partie sans payer » correctement ?

     (a) C'est un problème de grammaire :
          les ordinateurs ne connaissent
          pas tout le système grammatical
          du français. ☐

     (b) C'est un problème
          d'interprétation : les ordinateurs
          n'ont pas la connaissance du
          monde nécessaire. ☐

     (c) C'est un problème de lexique :
          les ordinateurs ne peuvent pas
          apprendre autant de mots que
          les humains. ☐

Les nouveaux mondes

Les mondes virtuels et l'intelligence artificielle
sont des domaines scientifiques qui posent
aussi des questions philosophiques. Vous allez
aborder certaines de ces questions dans cette
dernière séquence d'activités.

Activité 6.4.9 _____

A

Lisez l'entretien suivant puis cochez dans la liste
de la page 71 les trois thèmes qui sont abordés
dans le texte.

La science au-delà du réel

_Pour comprendre notre époque, il faut être capable de
la penser comme une œuvre de science-fiction. C'est
le point de vue d'Yves Michaud, philosophe et maître
d'œuvre de l'Université de tous les savoirs._

Philosophie Magazine : La science ne
propose-t-elle pas aujourd'hui davantage
de mondes possibles que la philosophie ?

Yves Michaud : Sans conteste et plus
encore la science sous la forme des
nouvelles technologies. Ce qui me frappe,
c'est qu'il y a actuellement une accélération
mécanique de la technologie, qui fait que
le monde se transforme sous nos yeux
sans que nous en ayions conscience.

Prenons l'exemple de notre rapport à l'expérience esthétique musicale. Après avoir été d'abord exécutée in vivo dans le concert, puis enregistrée, la musique est devenue numérique. À tel point que, pour un jeune, c'est la musique de concert qui est étrange par rapport à sa forme téléchargée. La « nouvelle musique » donne donc l'exemple d'un « autre monde » qui s'introduit subrepticement dans le nôtre.

Les biotechnologies ne sont pas en reste. On peut considérer le corps d'un athlète contemporain comme un organisme génétiquement modifié, avec la généralisation du dopage qui n'est, dans le cas de la transfusion sanguine à l'EPO, par exemple, pas autre chose que l'application sportive d'une thérapie cellulaire. Si vous êtes un cycliste lambda, même bien entraîné, vous ne comprenez pas pourquoi un coureur comme Lance Armstrong avance trois ou quatre fois plus vite que vous. La réponse est pourtant simple : ces athlètes ne sont plus les mêmes hommes que nous ! Ce qui est intéressant avec ces « nouveaux mondes », c'est qu'ils nous obligent à observer les changements sournois qui transforment notre quotidien. Il ne s'agit pas de science-fiction, mais de science appliquée.

Philosophie Magazine : En jouant sur les mots, ne peut-on pas considérer que cet e-monde est la forme moderne de l'immonde, soit d'une certaine barbarie techniciste ?

Y.M. : Je ne le crois pas. Il y a des évolutions, nos modes de développement pourraient être différents, mais ils ne seraient pas moins bons ni meilleurs. Notre difficulté est de vivre dans un monde qui est déjà autre, sans avoir les repères qui nous permettraient de dire s'il est meilleur ou moins bon qu'un autre. Ce que je mettrais en cause, c'est le désir d'immortalité et de vivre à tout prix qui accompagne souvent le discours sur les biotechnologies. Désirer l'immortalité, c'est transcender la nature humaine. Or la seule chose qui nous reste, c'est bien la finitude !

(Nicolas Truong, « La science au-delà du réel », *Philosophie Magazine*, n°1, mars 2006)

Vocabulaire

in vivo   (latin) en vie, en direct

ne sont pas en reste   ne sont pas en retard

EPO   drogue utilisée dans le dopage des athlètes

e-monde   monde électronique

immonde   (ici) immoral

Note culturelle

l'Université de tous les savoirs   Série annuelle de conférences scientifiques gratuites et ouvertes à tous. Son objectif est de rendre les dernières avancées de la science et du savoir accessibles à tout le monde.

1   De nouveaux mondes sont créés par l'avancée de la science. ☐

2   Les nouvelles technologies créent des mondes virtuels dangereux. ☐

3   Les organismes génétiquement modifiés détruisent le corps des athlètes. ☐

4   L'évolution de la science n'est pas un recul pour la civilisation. ☐

5   Les scientifiques ont le devoir de rendre l'homme immortel. ☐

6   La recherche de l'immortalité est problématique. ☐

B

Répondez aux questions suivantes.

1   Quelle est la cause de la transformation actuelle de notre monde ?

2   Quels sont les deux exemples de nouveaux mondes donnés dans le texte ?

3   Pourquoi le désir d'immortalité est-il un problème ?

C

Expliquez le titre du texte, « La science au-delà du réel », en environ 50 mots.

Dans ce cours, vous avez jusqu'à présent fait divers types d'activités écrites (répondre à des questions, faire un résumé, écrire des lettres, etc.). Nous vous proposons maintenant de vous entraîner à écrire un long devoir. La démarche que nous vous suggérons d'adopter est inspirée des principes de rédaction d'une dissertation enseignés dans les lycées et les universités français.

S6.2   Conseils pour écrire une dissertation

Une dissertation, c'est un long devoir écrit structuré et argumenté. Vous avez peut-être déjà eu l'occasion d'en écrire dans votre propre langue, pour une autre matière. Cette expérience vous sera très utile. Cependant, quand vous écrivez une dissertation dans une langue étrangère, vous devez suivre des règles différentes.

Règles à suivre

• Lisez des textes qui se rapportent au sujet posé, en particulier les textes du cours.

• Reprenez le matériel du cours et notez les points de grammaire, le vocabulaire et les expressions qui vont vous aider à formuler vos idées.

• Faites référence à la session révision de chaque unité pour être sûr(e) que vous maîtrisez les points clés.

• Suivez le plan suggéré, s'il y en a un.

• Utilisez un style formel et un langage soutenu (voir l'encadré sur les niveaux de langue de l'unité 4, O4.4).

• Utilisez un dictionnaire pour vérifier le vocabulaire et trouver des synonymes, si nécessaire, pour éviter les répétitions.

• Relisez les conseils sur le plagiat qui sont dans votre *Assessment Book*.

Pièges à éviter

• N'écrivez jamais d'abord votre devoir dans votre langue maternelle afin de le traduire.

• Ne donnez votre opinion ou vos sentiments par rapport au problème posé que dans la troisième partie de la dissertation.

• Assurez-vous bien que vous avez présenté les deux côtés de l'argumentation, et non pas simplement le côté que vous défendez.

• Ne copiez pas des extraits entiers de textes tirés du cours. Si vous utilisez des idées des textes que vous avez lus, assurez-vous que vous en avez clairement cité les sources.

Activité 6.4.10

Êtes-vous d'accord avec l'idée du texte « La science au-delà du réel » selon laquelle les avancées de la science créent un monde qui n'est ni moins bon ni meilleur ? Pensez-vous que le progrès scientifique améliore notre vie ou qu'il est terrifiant ? Vous allez répondre dans une dissertation, en vous appuyant sur des exemples présentés dans toute cette unité.

Dans un premier temps, préparez votre dissertation :

• analysez bien le titre du texte et la question posée ;

- notez des idées pour et contre la question, et pensez à votre opinion personnelle ;

- faites un plan avec une introduction, plusieurs parties et une conclusion.

S6.3 Faire un plan de dissertation et enchaîner ses arguments

Voici la structure du plan classique de la dissertation française avec une introduction, un développement en trois parties et une conclusion.

L'introduction...

- explique brièvement le sujet de la dissertation

- annonce le développement de la dissertation

La thèse (les arguments pour)...

- présente les arguments pour, en les enchaînant de manière logique

- donne des exemples pour illustrer ces arguments

L'antithèse (les arguments contre)...

- présente les contre-arguments à ce qui précède

- donne des exemples pour illustrer ces arguments.

La synthèse...

- donne vos propres opinions sur le problème posé

- propose une réponse à la question du sujet et vos propres conclusions

La conclusion...

- récapitule les arguments de manière très générale

- élargit le débat à un autre sujet ou pose une autre question

Savoir bien enchaîner les arguments

Afin de bien relier les différentes parties, vous devez utiliser des mots de liaison appropriés :

- d'une part, d'un côté (pour annoncer le pour)

- d'autre part, d'un autre côté (pour annoncer le contre)

- pour ma part, en ce qui me concerne, à mon avis (pour annoncer vos opinions)

- en conclusion, pour conclure (pour annoncer la conclusion)

Pour enchaîner les idées à l'intérieur d'un paragraphe, voici quelques exemples.

Pour relier deux arguments :

- et, en outre, par ailleurs, de plus

Pour présenter un argument d'ordre différent :

- quant à, en ce qui concerne, en matière de

Pour enchaîner une succession de plusieurs arguments :

- tout d'abord, premièrement, pour commencer

- ensuite, deuxièmement, en second lieu

- enfin, pour finir, en dernier lieu

Activité 6.4.11

Maintenant vous êtes prêt(e) à rédiger votre dissertation. Écrivez environ 650 à 750 mots.

Session 5 Révision

Voici une liste des points principaux que vous avez étudiés tout au long de cette unité.

Cochez la case correspondante pour indiquer si vous vous sentez vraiment capable de les mettre en pratique.

Si vous n'êtes pas sûr(e) de pouvoir maîtriser certains de ces points, revoyez les points clés correspondants et refaites les activités qui leur sont associées.

Je sais...	Oui	Non	Points clés	Activités
Utiliser le conditionnel passé	☐	☐	• G6.1 Le conditionnel passé	• 6.1.4
Utiliser des unités de mesure	☐	☐	• O6.1 Utiliser des unités de mesure	• 6.1.6
Ajouter des précisions à un nom	☐	☐	• O6.4 Ajouter des précisions à un nom	• 6.2.8
Comprendre le passé simple	☐	☐	• G6.2 Le passé simple	• 6.2.10
Manier le discours indirect au passé	☐	☐	• G6.3 Le discours indirect au passé	• 6.3.5
Prendre part à un débat polémique	☐	☐	• O6.5 Le texte polémique (1) : présenter son point de vue	• 6.3.6
			• O6.6 Le texte polémique (2) : répliquer à l'adversaire	• 6.3.9
Utiliser le subjonctif passé	☐	☐	• G6.4 Le subjonctif passé	• 6.4.4
Écrire une dissertation argumentée et structurée	☐	☐	• S6.2 Conseils pour écrire une dissertation	• 6.4.10
			• S6.3 Faire un plan de dissertation et enchaîner ses arguments	

Corrigés

Session 1

Activité 6.1.1

A

1–(c) ; 2–(b) ; 3–(e) ; 4–(d) ; 5–(a)

B

1–(d) ; 2–(c) ; 3–(b) ; 4–(e) ; 5–(a)

C

Sciences formelles et naturelles	Sciences humaines et sociales
• la biologie	• la sociologie
• la chimie	• la linguistique
• la physique	• les sciences politiques
• l'informatique	• la géographie
• les mathématiques	
• la géologie	

D

Voici ce que vous auriez pu écrire :

> J'ai étudié la biologie et la physique pendant quelques années au collège. Je détestais ces matières. Je les trouvais trop difficiles. Parce que je n'y comprenais rien, je pensais qu'elles ne servaient à rien !

Activité 6.1.2

A

Votre réponse à cette question sera personnelle.

B

1. Faux. (Certains domaines scientifiques sont ardus)

2. Vrai.

3. Vrai.

4. Faux. (Quoi de plus complexe que la musique ? Même les plus doués mettent des années à se familiariser avec l'harmonie [etc.])

5. Faux. (Comme on s'essaye à la musique sans être professionnel, on peut pratiquer la science sans en être spécialiste)

6. Faux. (Une première description du monde ne nécessite ni équation [...] ni formulation ésotérique, et requiert simplement [...] de la curiosité, un sens de l'observation)

C

1. (b) On peut pratiquer la science en amateur.

2. À la musique et aux promenades en montagne/à l'alpinisme.

3.

Domaine de la science	Domaine de la musique	Domaine de l'alpinisme
• maths	• harmonie	• alpiniste
• équation	• contrepoint	• sommets
• formulation	• instrument	• gravir
	• écouter	• face nord
	• chanter	• ascension
		• chemins

D

1–(d) ; 2–(a) ; 3–(c) ; 4–(e) ; 5–(b)

E

1   compliqué, difficile, ardu, escarpé, complexe, ésotérique

2   praticable, accessible

3   Synonyme : spécialiste
    Antonyme : amateur

F

Voici ce que vous auriez pu écrire :

> Je ne suis pas d'accord avec ce texte. Pour moi, la science, c'est compliqué, c'est réservé aux spécialistes. On ne pratique pas les sciences en amateur, bien au contraire. La comparaison avec l'alpinisme ou la musique me paraît très simpliste. Il faut avoir un esprit scientifique pour comprendre les sciences.

Activité 6.1.3

A

Votre réponse à cette question sera personnelle.

B

- j'aurais dû ; j'aurais ; j'aurais mieux fait ; j'aurais été ; j'aurais eu

- « J'aurais » est au conditionnel présent ; les quatre autres verbes sont au conditionnel passé puisqu'ils sont conjugués avec « avoir » (au conditionnel) + un participe passé (dû, fait, été, eu).

Activité 6.1.4

A

1   On **aurait pu** enseigner les sciences comme la musique.

2   Tu **aurais dû** regarder ce programme sur l'invention du téléphone.

3   Elle **aurait préféré** s'inscrire à ce cours de chimie.

4   Vous **auriez dû** oublier vos préjugés.

5   Il **aurait fallu** que les cours de maths soient plus intéressants.

B

Voici ce que vous auriez pu écrire :

1   J'aurais dû saisir la chance de partir aux États-Unis, maintenant c'est trop tard.

2   J'aurais préféré devenir médecin, mais je n'ai pas réussi mes études de médecine.

3   J'aurais mieux fait d'accepter le poste au Canada, j'aurais acquis une meilleure expérience.

4   J'aurais voulu jouer d'un instrument de musique, mais maintenant je n'ai plus la patience.

5   J'aurais souhaité avoir d'autres enfants.

Activité 6.1.5

A

1   Faux. (Jusqu'au XVIIIe siècle il n'existait aucun système de mesure unifié)

2   Faux. (Il existait en France plus de sept cents unités de mesure différentes)

3   Vrai.

4   Faux. (Condorcet rêvait déjà en 1775 à un étalon universel)

5   Vrai.

6   Vrai.

B

1   (b), (c), (e)

2   La fraude ; le fait que l'ancien système était un frein au développement scientifique ; le développement du commerce et de l'industrie.

3   Le développement des réseaux ferroviaires, l'essor de l'industrie et la multiplication des échanges.

4   À partir de 1837.

5   La vitesse de la lumière.

C

1–(c) ; 2–(d) ; 3–(a) ; 4–(f) ; 5–(g) ; 6–(b) ; 7–(e)

Activité 6.1.6

A

1   776 km

2   1 000 g

3   8 848 m

4   6 tonnes

5   26° C

6   891 km

7   77 x 53 cm

8   71%

B

1   Quelle température fait-il dans le Sud de la France en été ?

2   Quelle est la longueur de l'avenue des Champs-Élysées ?

3   À quelle température l'eau bout-elle ?

4   Quelle est la hauteur du Mont Blanc ?

5   Combien pèse la Tour Eiffel ?

Activité 6.1.7

1–(e) ; 2–(c) ; 3–(a) ; 4–(d) ; 5–(b) ; 6–(f)

Activité 6.1.8

A

Invention	Date	Inventeur
la machine à expresso	1946	Achille Gaggia
le réfrigérateur	1860	Ferdinand Carré
le jean	1853	Oscar Levi-Strauss
le fer à repasser	1891	H.W. Seely
la machine à laver	1901	Alva J. Fisher
l'ascenseur	1856	Elisha G. Otis

B

1   27%

2   13%

3   22 m^2

4   87%

C

Voici ce que vous auriez pu écrire :

J'adore sentir le matin l'odeur réconfortante du café et entendre le petit chuintement sympathique de ma machine à expresso avant de partir travailler, mais je ne pense quand même pas que la cafetière soit l'invention la plus utile pour l'humanité. Dans ma cuisine, je pense que les inventions les plus importantes sont le frigo et les machines à laver. Je souhaiterais que tous les habitants de la terre puissent profiter de ces inventions, car elles ont beaucoup amélioré nos conditions d'hygiène. Elles ont aussi contribué à l'amélioration de la vie des femmes, qui autrefois étaient cantonnées aux tâches ménagères. Plus généralement, ces inventions créent du temps libre et permettent donc à tous ceux qui les possèdent de vivre mieux. Je crois que les inventions les moins utiles sont celles qui finissent au fond des placards, inutilisées. Par exemple, il y a longtemps l'on m'a offert une yaourtière, mais je ne m'en suis presque jamais servi, parce qu'il est si facile d'acheter de bons yaourts dans les magasins. La yaourtière personnelle n'a donc pas révolutionné la condition humaine, à mon sens.

Activité 6.1.9

Voici les définitions des objets par Jacques Carelman :

1   Porte personnalisée. Ne perdez plus de place sur vos murs : faites percer des portes à vos mesures réelles !

2   Sac-à-chat. Utile pour faire voyager confortablement votre chat. Sac en cuir souple, capitonné, cock-pit en plexiglace perforé pour loger la tête. Fortes poignées. Fermeture à glissière dorsale. Article soigné.

3   Gant à cactus. « La meilleure défense, c'est l'attaque » disait Napoléon. Grâce à ce gant de caoutchouc muni de petites pointes acérées, les cactus les plus meurtriers feront « patte de velours ».

4   Fusil à kangourou. La forme très étudiée du canon de ce fusil imprime à la balle une trajectoire sinusoïdale qui suit l'animal dans ses bonds. Résultats spectaculaires attestés par les nombreuses lettres de félicitations que nous avons reçues de nos clients.

5   Os-arête pour chien et chat. Si vous avez un chien et un chat chez vous, vous les verrez pendant des heures jouer ensemble avec ce petit objet de caoutchouc parfaitement inoffensif !

Activité 6.1.10

1   devenir liquide, fondre, bouillir, brunir, noircir, brûler

2   Dans le texte : brunir, noircir
Autres exemples : rougir, verdir, jaunir, blanchir, roussir, etc.

3   Dans le texte : fondre, bouillir
Autres exemples : durcir, ramollir, se solidifier, se liquéfier, s'évaporer, etc.

Activité 6.1.11

Voici des réponses possibles :

1   Le pain brûle et il noircit.

2   Au congélateur, le beurre durcit et se congèle.

3   Le tissu de la chemise roussit et se troue.

4   On a les doigts qui bleuissent.

5   Nos cheveux blanchissent.

6   Les journées s'allongent.

Activité 6.1.12

Voici ce que vous auriez pu écrire :

Quand nous nous sommes mariés, dans les années soixante-dix, nous sommes allés habiter à Peyrelles parce que c'était un joli petit village entouré de collines, où la vie semblait tranquille et les gens aimables et peu pressés. Peyrelles est situé à 15 km de la ville où mon mari travaillait à l'époque, ce qui lui permettait de rentrer déjeuner d'un coup de voiture, s'il en avait envie. Nous habitions au troisième et dernier étage d'une ancienne maison de pierre rose, non loin de la place du marché. L'un de mes plaisirs préférés était de me mettre au balcon le soir pour regarder le coucher de soleil. Les bois de pins changeaient peu à peu de couleur, passaient d'un vert doré à un cuivre sombre, les ombres s'allongeaient et l'on entendait dans le lointain les clochettes et les bêlements des moutons qui rentraient passer la nuit au parc à la ferme.

Et puis, petit à petit, le village a changé d'aspect. Le prix du terrain a grimpé, et quand il y avait un décès, la tentation était trop forte pour les héritiers : au lieu de garder la maison ils la vendaient à un promoteur immobilier, qui la faisait démolir et la remplaçait par un immeuble de plusieurs étages. Peyrelles s'est agrandi, et a enlaidi. Les petits magasins se sont modernisés et ont perdu tout leur charme. Chaque année un petit bout de notre vue imprenable a disparu. D'abord on n'a plus aperçu que quelques arbres de la colline des Trois Sources à l'ouest ; ensuite, ça a été Saint-Martin, la chapelle perchée au sommet de la montagne du même nom, dont seule la croix a dépassé d'une construction de béton très laide érigée à une centaine de mètres de chez nous. Et pour finir, vers le sud, ils ont construit une sorte de cité-dortoir. J'ai une photo de mon fils sur le balcon, quand il avait quatre ans : derrière lui on ne voit que des immeubles ou des grues. Nous avons déménagé l'année suivante, le cœur gros.

Session 2

Activité 6.2.1

Industries traditionnelles	Industries de pointe
2, 3, 5, 8, 9, 11	1, 4, 6, 7, 10

Activité 6.2.2

A

1   Vrai.

2   Vrai.

3   Faux. (La France « se place au quatrième rang mondial pour les investissements dans ce domaine »)

4   Faux. (Les pôles de compétitivité reconnaissent les collaborations d'entreprises, de centres de recherches et d'organismes de formation dans « une activité innovante et pérenne »)

5   Vrai.

B

1   Les investisseurs cherchent des régions qui bénéficient d'excellentes infrastructures de recherche et de développement.

2   L'État français a lancé les « pôles de compétitivité » pour « dynamiser la recherche française et sa valorisation industrielle », pour lutter contre les délocalisations (en créant un meilleur environnement pour les entreprises innovantes) et pour tirer profit de la mondialisation (en attirant des partenaires étrangers).

3   La France investit 750 millions d'euros pour lancer et accompagner les premiers pôles de compétitivité. Elle a aussi financé « des exonérations fiscales, des allégements de charges sociales et des systèmes de financement spécifiques » et consacre 3% de son PIB à la recherche.

C

1–(f) ; 2–(d) ; 3–(a) ; 4–(e) ; 5–(b) ; 6–(c)

D

Science et technologie	Economie/affaires/finances	
• la recherche scientifique	• la compétitivité	• la mondialisation économique
• l'innovation technologique	• la croissance	• l'attractivité de la France
• la technologie	• l'emploi	• les crédits importants
• l'innovation	• les investissements	• les aides
• la recherche	• rivaliser	• les pôles de compétitivité
• les laboratoires	• les concurrents	• une enveloppe de 750 millions d'euros
• la haute technologie	• une entreprise	• des mesures incitatives
• les connaissances	• les investisseurs	• les exonérations fiscales
• les centres de recherche	• les infrastructures	• les allégements de charges sociales
• les chercheurs	• le produit intérieur brut (PIB)	• les systèmes de financement
	• les pays producteurs	
	• la valorisation industrielle	
	• la France industrielle	
	• les sociétés	
	• les délocalisations	

Activité 6.2.3

A

1 New York

2 Voiron

3 ingénieur en sciences de la matière

4 quinze

5 l'INSEAD, Montpellier, Allemagne, États-Unis

6 trois

7 directeur marketing et stratégie

8 les Jeux olympiques de 1968 ; le Synchrotron en 1994 ; Minatec

9 investissements privés

10 Leti ; STMicroelectronics

11 Hewlett-Packard ; entreprises

12 400 000 ; 80 000

13 1970–1980

14 agroalimentaire ; textile

B

1

Attributs du portrait-type du grenoblois	Attributs de David Holden
• Ingénieur	• David Holden est ingénieur en sciences de la matière.
• Sportif	• On ne sait pas si David Holden est sportif, mais on sait qu'il pratique le vélo.
• Écolo	• David Holden va souvent au travail en train avec son vélo.
• Pas originaire du Dauphiné	• David Holden est de New York.
• Mobile	• David Holden est venu à Grenoble une première fois, puis est reparti pour y revenir à nouveau.

2 « L'Alliance » est un pôle de recherche créé par les trois grandes entreprises électroniques : STMicroelectronics, Philips et Freescale (Motorola). Ces entreprises ont réalisé le plus grand investissement privé à Grenoble depuis 20 ans.

3 On a accusé Hewlett-Packard de profiter des subventions de l'État avant de délocaliser ses activités en Chine ou en Inde.

4 La convergence de l'université, de la recherche et de l'industrie.

Activité 6.2.4

A

1 passé composé – événement

2 passé composé – action terminée

3 plus-que-parfait – action complétée avant la principale action du passé

4 imparfait – situation qui durait

5 passé composé – action terminée

6 imparfait – situation qui durait

7 passé composé – action terminée

8 imparfait – situation qui durait

9 passé composé – se réfère à la première période passée à Grenoble (et terminée)

10 passé composé – action terminée

B

• Je **suis né(e)** à Bruxelles

• j'**ai fait** ma licence

• Je **suis venu(e)** à Grenoble

• J'**ai fait** ce choix

• cette ville **était** dynamique

• elle **offrait** tant de possibilités

• j'**ai terminé** ma thèse

• j'**ai été** recruté(e)

Activité 6.2.5

A

1–(c) ; 2–(d) ; 3–(b) ; 4–(a) ; 5–(e)

B

1 paragraphe 2

2 paragraphe 5

3 paragraphe 3

4 paragraphe 1

5 paragraphe 4

C

1 Un écran de TV ultra-plat que l'on roulera et glissera dans une poche ; une puce électronique petite et capable de pratiquer un analyse de sang ou d'ADN ; un

téléphone portable intégré au vêtement ; une raquette de tennis très légère mais très résistante.

2   Minatec prétend être un centre de recherche, d'enseignement et de développement unique en Europe. Le centre est bien situé, entre la gare SNCF (communications) et le Synchrotron (centre important de recherche européenne). Pour ceux qui travaillent à Minatec, tout est prévu pour faciliter les rencontres entre chercheurs, étudiants et industriels.

3   (a)   Certains chercheurs craignent les risques imprévus des nanotechnologies, par exemple que les poussières des nanotubes de carbone puissent être aussi nocives que l'amiante.

    (b)   Les groupes alternatifs pensent que les nanotechnologies représenteraient un outil répressif de l'État : elles permettraient une surveillance renforcée mais invisible de l'individu (« le flicage généralisé »). Ils s'opposent aussi aux nanotechnologies à cause de leur potentiel militaire, « la possibilité de modifier les capacités physiques et intellectuelles des individus et la prolifération de nano-robots ».

4   Pour répondre aux inquiétudes des chercheurs, le président du conseil général de l'Isère a proposé la création d'une haute autorité internationale pour gérer et contrôler le développement des nanotechnologies.

5   Le préfixe « nécro- » signifie « mort » en grec, donc cette expression signifie « technologies de la mort ». Elle souligne les craintes des groupes alternatifs : les dangers pour la santé mais aussi le potentiel militaire et répressif de certaines nouvelles technologies.

Activité 6.2.6

Voici ce que vous auriez pu écrire :

Si je travaillais dans les technologies de l'infiniment petit, je chercherais à développer un système unique qui permette de s'identifier dans une multitude de situations différentes. Actuellement, je dois transporter sur moi énormément de cartes et de clefs différentes tous les jours : Cartes bleues, carte d'identité, abonnements aux transports en commun de plusieurs villes, « Carte Vitale » de la Sécurité sociale, carte d'accès à mon entreprise, etc. Je préférerais avoir une seule carte à puce qui puisse servir partout, à condition que les données qu'elle contiendrait soient bien protégées.

Activité 6.2.7

Voici ce que vous auriez pu écrire :

Je pense que je n'aurais pas participé à une manifestation contre le centre Minatec. Minatec constitue un atout pour la ville de Grenoble car c'est un environnement idéal pour le développement et la recherche en nanotechnologies. Cette activité implique la création de 4 000 emplois et le centre sera sans doute générateur de nouvelles sociétés dans ce secteur de pointe. Il renforce ainsi l'infrastructure scientifique grenobloise et contribue à son dynamisme économique.

Cependant, il faut admettre que les nanotechnologies sont un domaine dont on connaît mal les risques : elles sont invisibles, donc difficiles à contrôler. Moi, je soutiendrais une campagne pour encourager la mairie de Grenoble à tenir les citoyens informés sur le sujet, et à obliger les scientifiques à conduire des recherches sur les dangers potentiels des nanotechnologies.

Activité 6.2.8

A

1   Une machine à café autonettoyante

2   Un fer à repasser ultraléger pour le voyage

3   Une voiture à hydrogène

4   Une micropuce capable d'identifier les odeurs

5   Un emballage capable d'indiquer le temps de cuisson

B

Voici cinq exemples d'inventions :

1   Une chemise autorepassable

2   Une machine à faire les devoirs

3   Un véhicule de téléportation

4   Un gadget pour apprendre les langues en dormant

5   Une voiture qui marche à l'air

C

Voici ce que vous auriez pu écrire :

> Pour moi, je pense que la voiture à hydrogène représente l'innovation la plus utile. La planète souffre de la pollution causée par les voitures et malgré de nombreuses mesures incitatives de la part des gouvernements, les gens ne renonceront pas aux voitures. Il faut donc commercialiser une voiture propre sans danger pour l'environnement.

A

	Joseph Fourier	Aristide Bergès
Formation	École militaire d'Auxerre	École centrale des arts et manufactures
Fonctions	• Enseignant, y compris à l'École polytechnique • Égyptologue – Secrétaire perpétuel de l'Institut d'Égypte • Préfet de l'Isère • Membre de l'Académie des sciences puis secrétaire perpétuel de la division des mathématiques	• Inventeur • Fabricant de papier • Ingénieur
Inventions/ Recherche	• Théories mathématiques des phénomènes physiques • Les théorèmes généraux relatifs à la résolution d'équations algébriques • Théorie de la propagation de la chaleur dans les solides	• Une pillonneuse à vapeur • Un défibreur pour la pâte à papier • « La houille blanche »
Travaux publics	• L'assèchement des marais de Bourgoin • La construction d'une route de Grenoble à Turin	• L'installation de l'électricité à Lancey, puis dans la vallée du Grésivaudan (fondation de la Société d'éclairage électrique du Grésivaudan) • Première expérience d'éclairage public à Grenoble • L'alimentation électrique de la ligne de tramway Grenoble–Chapareillan
Prix/Honneurs	• Membre de l'Académie des sciences • Grand prix de mathématiques de l'Institut national des sciences et des arts • L'université scientifique et médicale de Grenoble porte son nom	• Hommage du Congrès pour l'avancement des Sciences

B

1   un revêtement

2   la pâte à papier

3   le cheval (chevaux) ou cheval-vapeur

4   un tract

5   la houille

C

La biographie de Joseph Fourier emploie le passé simple (« consacra, présenta ») pour exprimer les actions et les événements, alors que le texte sur Aristide Bergès emploie le temps présent (« fait, met, effectue »).

Activité 6.2.10

A

- fut (être)

- ouvrit (ouvrir)

- donna (donner)

- reçurent (recevoir)

B

1–(c) ; 2–(b) ; 3–(a)

C

1   vit

2   était

3   voulut

4   créa

5   ouvrit

6   abritait

7   fut

8   accueille

Activité 6.2.11

Voici ce que vous auriez pu écrire :

> À la fin du XIXe siècle, Grenoble n'était qu'une petite ville de province. C'est sans doute la découverte de la houille blanche par Aristide Bergès, ingénieur et industriel, qui a lancé la renommée de Grenoble en tant que ville innovante et progressiste.
>
> Le développement de la force hydro-électrique a encouragé l'industrialisation de Grenoble. Des industries lourdes s'y sont implantées, par exemple, Neyrpic, qui fabriquait des turbines pour les centrales hydro-électriques, ainsi que des industries chimiques, dont les produits étaient utilisés dans l'industrie du papier. Ces industries avaient besoin de main d'œuvre, mais aussi de scientifiques et d'ingénieurs pour développer de nouveaux procédés.
>
> C'est surtout après la Deuxième Guerre mondiale que Grenoble connaît une période d'expansion particulière. Grâce aux centres de recherche du CEA, des scientifiques de haut niveau s'installent dans la ville. Les universités se développent et des instituts se créent pour former des étudiants scientifiques. À partir des années quatre-vingt cette infrastructure attire des multinationales spécialisées en électronique et en informatique. Ces entreprises à leur tour investissent beaucoup dans la recherche et le développement. Grâce à ce dynamisme, de nombreuses start-up se créent pour valoriser les résultats de la recherche. C'est ainsi que face au déclin des industries traditionnelles, Grenoble a pu se réorienter vers les technologies nouvelles.

Le dynamisme actuel de la ville repose donc sur une collaboration active entre les collectivités locales, les entreprises, les universités et les centres de recherche. En plus de son excellente infrastructure en matière de recherche et de développement, Grenoble est une ville cosmopolite située dans un cadre naturel exceptionnel. Ces atouts continuent à attirer chercheurs, entreprises et investisseurs au niveau international. C'est ainsi que Grenoble réussit à tirer profit de sa situation géographique, de son histoire et de l'actuelle mondialisation économique et scientifique.

Session 3

Activité 6.3.1

1   (b), (d), (f)

2   (c), (e)

3   (a)

Activité 6.3.2

A

1   Faux. (La biométrie se sert aussi de caractéristiques comportementales)

2   Vrai.

3   Vrai.

4   Faux. (Il y a beaucoup d'utilisations dans la vie de tous les jours, par exemple, faire démarrer son ordinateur au lieu de taper un mot de passe)

5   Faux. (La biométrie n'est pas fiable à 100% ; un certain taux d'erreurs est inévitable)

B

1   l'empreinte digitale

2   les appareils

3   ultérieur(e)

4   démarrer

5   se fier à

6   abusif

7   une atteinte

Activité 6.3.3

A

1–(f) ; 2–(d) ; 3–(e) ; 4–(a) ; 5–(c) ; 6–(b)

B

Les expressions à forte connotation négative employées par Alain Weber sont : 1, 3, 4, 6, 8, 10, 11, 13 et 15.

Activité 6.3.4

A

Le bon ordre est : (d), (a), (f), (c), (e), (b)

B

1   La mondialisation ; le terrorisme.

2   Comme une passoire, le système a beaucoup de « trous » qui laissent passer des fraudes.

3   L'identification de personnes pour dissuader les velléités d'usurpation, la traite humaine, l'immigration illégale, la fraude aux examens, la fraude à la Sécurité sociale.

C

Les expressions à connotation positive employées par Jean-René Lecerf sont : 2, 3, 7, 8, 9, 10 et 11.

Activité 6.3.5

1   **Il a déclaré que** nous ne **devions** pas tomber dans le piège des terroristes.

2   **Il a expliqué que** le gouvernement **venait** d'ajourner le projet INES qui **risquait** de voir le jour.

3   **Il a précisé que** ce projet **permettrait** à la police de centraliser nombre d'informations vitales.

4   **Il a fait remarquer que** celui qui se **présenterait** à la frontière avec un visa biométrique associé à un faux état civil **passerait** aisément tout contrôle.

5   **Il a souligné qu'**il ne **s'agissait** pas d'interdire la biométrie mais de la canaliser.

6   **Il a insisté sur** le fait **qu'**il **fallait** interdire l'usage de la biométrie dans les entreprises.

7   **Il a rappelé qu'**entre 1999 et 2004, le ministère de l'Intérieur **avait recensé** le vol de 84 464 titres vierges.

8   **Il a ajouté que** 2 835 fausses cartes nationales d'identité **avaient été interceptées** en 2002 par la police aux frontières.

9   **Il a jugé que** la biométrie **ferait** figure de réponse habile aux défis sécuritaires posés par le terrorisme.

10 **Il a conclu qu'**il **fallait** renverser le « syndrome Big Brother ».

Activité 6.3.6

1   On caractérise l'objet de la polémique

2   On expose les risques et les possibilités

3   On expose les risques et les possibilités

4   On pose des questions afin d'y répondre

5   On dit ce qui doit se faire (ou ne doit pas se faire)

6   On dit ce qui doit se faire (ou ne doit pas se faire)

7   On caractérise l'objet de la polémique

8   On pose des questions rhétoriques

Activité 6.3.7

Voici ce que vous auriez pu écrire :

> À mon avis, les arguments présentés contre la biométrie ou plutôt pour le contrôle de la biométrie sont les plus convaincants.
>
> En ce qui concerne la lutte contre le terrorisme, il est indispensable de surveiller l'accès aux lieux publics, notamment les aéroports. Ceci peut être fait par le contrôle biométrique des individus et la création de passeports biométriques infaillibles. Cependant, il faut accepter le fait que ces techniques ne sont pas encore au point et qu'il y a un risque d'erreurs graves. Mais n'oublions pas que notre société repose sur le respect des libertés individuelles, et que la biométrie risque de transformer la démocratie en état policier.
>
> J'espère qu'il sera possible dans l'avenir de se sentir à la fois libre et en sécurité. L'utilisation de la biométrie doit être contrôlée pour éviter toute tentation totalitaire.

Activité 6.3.8

Georges Cirelli : 1, 2 , 4, 7, 8

Madeleine Simon : 2, 3, 5, 6, 9 et 10

Activité 6.3.9

A

1   On fait une concession

2   On fait une concession

3   On rejette explicitement

4   On ridiculise

5   On fait une concession

6   On dément

7   On rejette explicitement

B

Voici ce que vous auriez pu écrire :

1   Mais c'est complètement absurde ! Vous croyez qu'il est possible de distinguer un terroriste rien qu'à partir de son visage ou de sa main ?

2   Je ne suis pas du tout d'accord avec vous. La biométrie ne nous permettra pas d'appréhender les terroristes aux frontières.

3   Même si la biométrie est un peu plus fiable que les moyens classiques d'identification, il faut reconnaître ses limites.

4   Ah bon – et comment allez-vous identifier les terroristes dont les données n'ont pas été enregistrées préalablement ?

5   C'est ce qu'on veut nous faire croire. Cependant, la biométrie ne peut que confirmer une correspondance avec des données enregistrées. Elle n'est pas à même d'identifier un « terroriste ».

Activité 6.3.10

Voici ce que vous auriez pu écrire sur le clonage :

> Le clonage soulève à la fois des espoirs et des craintes. Je suis d'accord avec le point de vue du professeur Cirelli, notamment sur le fait qu'il faille faire la distinction entre le clonage thérapeutique et le clonage reproductif et qu'il ne faille pas écarter d'emblée toutes les utilisations scientifiques du clonage.

> Madeleine Simon a déclaré que le clonage thérapeutique n'était pas acceptable parce qu'il conduisait à accepter le clonage reproductif. Elle a poursuivi en disant que le clonage transgressait un interdit, celui de la manipulation de l'homme par l'homme. Ensuite, elle a affirmé qu'il valait mieux se priver du clonage thérapeutique, même s'il s'agissait d'un progrès médical, plutôt que de prendre le risque de mettre cette technique dans les mains de gens malintentionnés. Elle a conclu en soutenant que les chercheurs qui travaillent dans ce domaine s'arrogeaient le droit de vie ou de mort.

> À mon sens, les arguments de Madeleine Simon manquent de subtilité : elle rejette en bloc le clonage alors que c'est essentiellement le clonage reproductif qui semble lui poser de réels problèmes éthiques. Elle parle de l'interdit de la manipulation de l'homme par l'homme, mais tous les actes médicaux, même les plus simples, ne constituent-ils pas une telle manipulation ? Où faut-il donc tracer la frontière entre ce qu'on accepte et ce qu'on rejette ?

> De plus, je ne suis pas du tout d'accord avec son opinion lorsqu'elle dit qu'il vaut mieux se priver des techniques du clonage thérapeutique plutôt que de prendre le risque de les voir détournées ou perverties. Se passer des possibilités de traitement médical offertes par le clonage thérapeutique parce qu'on juge inacceptable le clonage reproductif me paraît absurde, et c'est un point de vue que beaucoup de personnes atteintes de maladies graves trouveraient probablement insoutenable.

> Le problème éthique du clonage thérapeutique, à en croire le professeur Cirelli, est d'ailleurs limité dans le temps. L'utilisation de cellules souches embryonnaires est une étape qui permettra la mise au point de techniques basées sur l'utilisation des propres cellules du malade. Laissons donc les scientifiques faire leur travail, tout en participant aux débats éthiques pour que l'on puisse comprendre et contrôler l'utilisation de ces nouveaux outils médicaux.

Cloner un être humain ? Cela remettrait en question toute notre conception d'identité individuelle et, comme Madeleine Simon et Georges Cirelli, je pense qu'il faut absolument l'interdire. Mais arrêter le progrès médical et refuser de développer des techniques qui pourraient sauver de nombreuses vies humaines, c'est pour moi inacceptable. Je souffre moi-même d'une maladie chronique qui me gâcherait complètement la vie si je ne recevais pas de traitement. Je dois aux médecins et aux chercheurs de pouvoir mener une vie normale, et je soutiens donc qu'il faut leur faire confiance et ne pas bloquer les progrès du clonage thérapeutique, et de la médecine en général.

Session 4

Activité 6.4.1

1–(h) ; 2–(i) ; 3–(b) ; 4–(f) ; 5–(a) ; 6–(e) ; 7–(g) ;
8–(d) ; 9–(c) ; 10–(j)

Activité 6.4.2

A

Il s'agit de (c) : une analyse sociologique du comportement des jeunes qui utilisent les sites Internet communautaires et de ses conséquences.

B

(a)–2 ; (b)–1 ; (c)–3 ; (d)–8 ; (e)–6 ; (f)–5 ;
(g)–4 ; (h)–7

C

1   Ce sont les adolescents et les jeunes pour qui l'utilisation des technologies de l'information et de la communication est tout à fait naturelle.

2   Il s'agit de la capacité à entretenir des relations avec des personnes situées n'importe où dans le monde grâce à l'Internet, à établir des réseaux sociaux au-delà de la famille et du milieu scolaire.

3   Parce que désormais la transmission du savoir ne se fait plus seulement des parents aux enfants mais aussi à l'envers (des enfants aux parents) et de façon horizontale, entre jeunes, sans les parents.

4   Les jeunes risquent de rencontrer des personnes mal intentionnées. Certains craignent des dédoublements d'identité. D'autres que les jeunes les plus vulnérables renoncent aux relations sociales réelles.

5   Parce que la hiérarchisation des idées et des tâches devient progressivement plus importante que la capacité à se concentrer longtemps sur une seule chose.

Activité 6.4.3

A

Pour	Contre
Ils permettent de faire des rencontres et d'avoir des discussions en ligne.	Ils donnent la sensation fausse qu'on est intéressant et qu'on a beaucoup d'amis.
Ils aident à soigner la timidité. Ils enrichissent la vie.	Les personnes qui les utilisent ont des problèmes de communication.
Ils permettent d'échanger des informations, de communiquer et de s'instruire.	Elles ignorent les personnes qu'elles côtoient en chair et en os.
C'est un instrument de démocratie.	Ces sites ont un effet négatif sur les relations humaines.
C'est un moyen de communication comme les autres.	

B

1 Se soient développés ; ait été ; ait exprimé.

2 Il est normal que ; il n'est pas étonnant que ; je suis ravi que.

3 Ils sont au subjonctif passé, avec « avoir/ être » au subjonctif + un participe passé.

Activité 6.4.4

1 ait représenté

2 aient eu

3 ait disparu

4 n'aies pas pu

5 soit arrivé

6 ait fait

7 soit allée

Activité 6.4.5

Voici ce que vous auriez pu écrire :

- Blogs et wikis pour apprendre le français

- Cours en ligne, salle de classe électronique

- Forum utile pour communiquer avec les autres étudiants de mon groupe

Avantages

- Ces outils favorisent la communication

- On partage nos connaissances en français, on s'entraide

- C'est moins stressant de communiquer dans une langue étrangère à travers les outils en ligne

Inconvénients

- J'ai l'impression que je sais énormément de choses sur les autres, que je les connais bien alors que je ne les ai jamais vus en chair et en os. C'est une expérience un peu curieuse

- Nous formons une communauté virtuelle : on ne se rencontre jamais

Activité 6.4.6

A

1 Vrai.

2 Faux. (« Plus d'un demi-siècle d'efforts n'ont pas réussi à casser le code »)

3 Vrai.

4 Vrai.

5 Faux. (« La traduction automatique ne peut absolument pas rivaliser avec un traducteur humain »)

6 Vrai.

7 Faux. (« Moins de 30% des internautes sont anglophones »)

8 Faux. (« Cette proportion ne cesse de décroître »)

B

1 être de bon ton

2 un florilège

3 friser le surréalisme

4 remonter à

5 dénué de

6 passer le cap

7 lambda

8 décroître

Activité 6.4.7

A

1–(c) ; 2–(b) ; 3–(d) ; 4–(a)

B

Voici ce que vous auriez pu écrire :

Sortez l'appareil de son emballage et placez-le sur une surface propre.

Insérez les trois vis qui sont fournies dans les trous en dessous de l'appareil. Maintenant mettez une rondelle sur chaque vis, mais ne les serrez pas. Enfilez le fil noir dans le grand trou situé sur le côté de l'appareil, et branchez-le sur le connecteur rouge. Serrez toutes les vis. Votre appareil est prêt à être utilisé.

Activité 6.4.8

1–(a) ; 2–(c) ; 3–(b)

Activité 6.4.9

A

Les trois thèmes traités par le texte sont : 1, 4, 6.

B

1 L'accélération du développement de la technologie.

2 La musique numérique et le dopage des athlètes.

3 Parce qu'il nie la dernière caractéristique de la nature humaine : sa finitude.

C

Voici ce que vous auriez pu écrire :

> D'après le texte, la science fait des progrès tellement rapides qu'on a parfois l'impression que la réalité est de la science-fiction. D'après Yves Michaud, c'est parce que le monde change plus vite que nous ne pouvons en prendre conscience.

Activité 6.4.10

Voici un exemple du genre de notes que vous auriez pu préparer :

Analyse du sujet – points clés du sujet

- science au-delà du réel
- monde ni bon, ni meilleur
- améliore notre vie
- terrifiant

Plan

1 Introduction

2 Trois parties :

(a) thèse (pour l'affirmation) – le progrès scientifique améliore notre vie

(b) antithèse (contre l'affirmation) – le progrès scientifique est terrifiant

(c) synthèse (opinion personnelle)

3 Conclusion

Idées principales pour chaque partie

(a) Pour : le progrès scientifique améliore notre vie

- Technologie en général = libératrice = amélioration indéniable de certaines tâches mécaniques dans la plupart des métiers et des services + un exemple = Internet, le travail à la ferme est rendu moins pénible grâce aux machines, etc.

- Prévisions rendues plus exactes, plus fiables (météorologie, résultats d'analyse...)

- Recherches contre les maladies (clonage thérapeutique : greffe, réparation d'organes défaillants)

- La biométrie améliore notre vie dans plusieurs domaines (lutter contre le terrorisme, détecter les fraudes, augmenter notre sécurité...)

(b) Contre : le progrès scientifique est terrifiant

- Développement des technologies = pollution, aggravation des conditions de vie, menace sur les générations futures + exemples : OGM, usines, voitures, problèmes éthiques liés aux progrès de la génétique

- Les progrès scientifiques n'ont pas forcément amélioré les conditions de vie ou les problèmes humanitaires des pays pauvres

- Comment se fait-il qu'on ne puisse pas stopper les catastrophes naturelles ou du moins les prévoir et faire le nécessaire pour aider les populations avant les catastrophes ?

- Tests, pollution dans l'atmosphère, réchauffement climatique font que maintenant, personne, ni aucune région de la planète n'est à l'abri d'une quelconque catastrophe naturelle

- Le clonage reproductif va contre les lois de la nature (désir d'immortalité, bébé sur mesure...) – problèmes philosophiques et éthiques

- Les biotechnologies = un danger si mis entre de mauvaises mains, fichage de la population entière

(c) Synthèse – opinion personnelle

- Faire la balance, peser le pour et le contre

- Réponse à la question : monde ni moins bon, ni meilleur – citation : Yves Michaud « on n'a pas de repère »

Activité 6.4.11

Voici ce que vous auriez pu écrire :

De nos jours, la science et la technologie peuvent faire beaucoup de choses pour les êtres humains. Les avancées scientifiques semblent parfois toucher au domaine de la science-fiction et poser des problèmes philosophiques ou éthiques. La polémique tourne autour de la question de savoir si ces progrès scientifiques créent un monde meilleur ou pire. Pour certains, le progrès scientifique améliore notre vie et la technologie est utilisée à des fins utiles et saines. Pour d'autres, le progrès scientifique est du domaine de l'irréel. Il fait obstacle aux lois de la nature et peut constituer de véritables dangers pour l'humanité.

D'une part, il est vrai de dire que le progrès scientifique facilite notre vie. Tout d'abord, il faut souligner que la technologie, de manière générale, est censée être libératrice. Au travail et au quotidien, elle permet un gain considérable de temps. Elle a également contribué à rendre certains métiers pénibles plus faciles, comme, par exemple, le travail à la ferme ou dans les usines. Donc, en ce sens, on peut dire que le progrès améliore notre vie.

Par ailleurs, la technologie permet aussi de faire des prévisions plus exactes et de donner des résultats d'examens médicaux plus fiables. Et surtout, les avancées comme le clonage thérapeutique permettent, par des greffes ou des réparations d'organe, de sauver des vies. Tout ceci aboutit à faire d'énormes progrès dans le domaine de la recherche contre les maladies et, en conséquence, de prolonger et d'améliorer nos vies. Enfin, la biométrie qui est « une technique d'identification d'une personne au moyen de sa morphologie », permet de lutter contre le terrorisme, de détecter les fraudeurs (impôts, examens, sécurité sociale...) et de ce fait, son utilisation à bon escient pourrait améliorer notre sécurité et donc notre vie.

D'autre part, on a matière à penser que tous ces progrès scientifiques peuvent représenter un véritable danger pour l'humanité. Premièrement, le développement inconsidéré des technologies conduit à la pollution des eaux et de l'atmosphère, à l'aggravation des conditions de vie dans certains endroits de la planète, et à la menace atomique et génétique qui pèse sur les générations futures.

Ensuite, on ne peut pas dire que le progrès scientifique ait vraiment amélioré les conditions de vie des populations des pays pauvres qui souffrent encore de famine, de paludisme ou d'autres fléaux insurmontables. De surcroît, si les nouvelles technologies étaient si efficaces et fiables pour les prévisions, on devrait pouvoir prévoir les catastrophes naturelles et faire le nécessaire pour aider les populations avant les catastrophes, mais ce n'est pas le cas. Bien au contraire, les tests et essais technologiques qui contribuent au réchauffement climatique font que maintenant personne, ni aucune région de la planète n'est à l'abri d'une quelconque catastrophe naturelle.

En ce qui concerne le clonage reproductif, il est dangereux, à mon avis, puisqu'il va contre les lois de la nature. Le désir d'immortalité ou d'avoir des bébés « faits sur mesure » pose de sérieux problèmes religieux, éthiques et philosophiques. Vouloir travailler sur les embryons humains et en modifier les substances paraît être du domaine de la science-fiction, plus de la science.

Pour finir, les biotechnologies représentent un grave danger. En effet, il serait juste de se demander ce qu'il pourrait arriver si des personnes mal intentionnées étaient en possession d'informations particulières sur certains individus. De plus, le stockage d'informations individuelles va résulter en un fichage électronique tout puissant, et ainsi à la disparition des libertés individuelles.

Selon les constatations et les exemples précédents, il semblerait que les avancées de la science créent un monde qui n'est ni pire ni meilleur. D'un côté, il est évident que les progrès scientifiques améliorent notre vie. D'un autre côté, il faut être vigilant et surveiller les utilisations que l'on fait de la science, et ne pas dépasser certaines limites qui pourraient nuire à l'humanité. Je soutiens également l'argument d'Yves Michaud, qui dit : « Il y a des évolutions, nos modes de développement pourraient être différents, mais ils ne seraient pas moins bons ni meilleurs. Notre difficulté est de vivre dans un monde qui est déjà autre, sans avoir les repères qui nous permettraient de dire s'il est meilleur ou moins bon qu'un autre. »

Pour conclure, faut-il avoir peur des progrès scientifiques ? Les recherches ne sont pas suffisamment avancées pour qu'on se prononce, mais pour faire progresser la science, les scientifiques doivent pouvoir travailler librement. On doit certes légiférer dès que les recherches posent un problème moral important, mais que se serait-il passé si on avait interdit les recherches sur la vaccination, par exemple ? Qui ne risque rien, n'a rien.

Acknowledgements

Grateful acknowledgement is made to the following sources for permission to reproduce material in this book:

Text

Pages 9–10: Charpak, G. 'Ce n'est pas si compliqué!', *La Main à la pâte*, © 1996 Éditions Flammarion; *pages 13–4*: Laurent, J. 'Histoire de la mesure', www.metrologiefrancaise.fr/fr/histoire/histoire-mesure.asp, courtesy of LNE-DRST (Direction de la Recherche Scientifique et Technologique); *pages 20–2*: Alouf, M.E. 'Une journee de Marie', *Le Nouveau Politis*, No.19, July–August 1994, with kind permission of Politis; *page 24*: Laplante, B. 'Activités de sciences et technologie pour l'enseignement en immersion', www.uregina.ca; *pages 31–2*: Germain, S. 'Grenoble: Toujours plus haut', 25 January 2007, *L'Express*; *page 35*: Perdriel, C. 'Le centre Minatec inauguré à Grenoble' 2 June 2006, *Le Nouvel Observateur*, with kind permission of *Le Nouvel Observateur* Rédaction © 2008 nouvelobs.com; *page 38*: L'Académie des sciences, www.academie-sciences.fr; *page 39*: www.ville-st-girons.fr; *page 47*: Jeanneney, J. and Guillemain, O. 'Faut-il avoir peur de la biométrie?', 5 September 2005, *L'Express*; *page 49*: Jeanneney, J. and Guillemain, O. 'Faut-il avoir peur de la biométrie?', 5 September 2005, *L'Express*; *pages 60–2*: Vincent, C. 'Les enfants de la Net-génération' 6 October 2007, *Le Monde*; *page 66*: Véronis, J. 'Traduction: Systran ou Reverso?', 2006, http://aixtal.blogspot.com; *page 69*: Véronis, J. 'Sémantique: Mon déjeuner m'appelle', 2006, http://aixtal.blogspot.com; *pages 70–1*: Truong, N. 'La science au-delà du réel', No.1, March 2006 © *Philosophie Magazine*.

Illustrations

Front cover: © Tom Mackie / Alamy

Page 5: © Robert Bremec / iStockphoto; *page 7*: © Liudmila Chernova / iStockphoto; *page 11*: © Emmanuel Hassan; *page 13*: © Elodie Vialleton; *page 15*: © Elodie Vialleton; *page 17 (top left)*: © Elodie Vialleton; *page 17 (centre right)*: © Alain Vialleton; *page 20*: © Elodie Vialleton; *page 23*: © Jacques Carelman, *Catalogue d'objets introuvables*, Le Livre de Poche; *page 25*: © Alain Vialleton; *page 26*: © Matthew Whittle / iStockphoto; *page 30*: With kind permission of Nicolas Weinbert; *page 32*: © Hemis / Alamy; *page 35*: © Xavière Hassan; *page 36*: © Luigi Tarantino; *page 42 (centre right and bottom right)*: Courtesy of Station Alpine Joseph Fourier; *page 43 (top left, centre left and bottom left)*: Courtesy of Station Alpine Joseph Fourier; *page 44*: © Donna Coleman / iStockphoto; *page 46*: © Elodie Vialleton; *page 51*: © Alexandr6868 Georgios Alexandris / Dreamstime.com; *page 53*: © Xavier Gorce / Inzemoon.com, first published in lemonde.fr; *page 58*: © Ynse / Dreamstime.com; *page 59*: © CEA, www.cea.fr; *page 63*: © Xavier Gorce / Inzemoon.com, first published in lemonde.fr; *page 65*: © Alain Vialleton; *page 70*: © P.Fiet / CEA.

Every effort has been made to contact copyright holders. If any have been inadvertently overlooked, the publishers will be pleased to make the necessary arrangements at the first opportunity.